新潮文庫

村上朝日堂の逆襲

村上春樹
安西水丸 著

新潮社版

4345

目次

本文イラスト　安　西　水　丸

村上朝日堂の逆襲

自由業の問題点について

自由業、というと都会では何かしら華やかな職種に見られているフシがあって、大の男が昼間からブラブラと遊んでいても、奇異の目で見られることはあまりないのだけれど、僕《ぼく》のように都会をドロップアウトして——というか都会の家賃の高さに音をあげて——郊外中小都市を転々としている人間にとっては、これはこれで気苦労の多いものなのである。

まず第一に「自由業」というもののコンセプトを理解してもらえないということがある。なかでもいちばん嫌《いや》なのがボーナスシーズンの銀行である。何が嫌かといって、あれくらい嫌なものはない。窓口の手続きが済むのを椅子《いす》に座って待っていると必ず銀行のヒトが寄ってきて、「ボーナスの予定は何かお決めになっておられるでしょうか?」と訊《き》いてくる。そんなもの決めているわけないから「決めてない」と言うと、「それではこの定期口座にとりあえずお入れになりまして、なんのかんの」とはじめるから、「あの、ボーナスないんです」と言うと、相手は必ず〈はっ?〉というう

ろな目で僕を見る。比喩《ひゆ》を使わせていただくなら、道ばたで今まさに朽ち果てんとする雨ざらしの廃屋を眺《なが》めているような目つきである。

そこで「どうも失礼をいたしました」と引きさがる人もいる。それはそれでべつに構わない。しかし半分くらいは引きさがらない。だいたい僕が銀行に行くのは朝の九時か十時頃《ごろ》のすいている時刻だから、向こうだって暇なんである。

「えーと、あの、失礼ですが、どういう御職業で？」とだいたい訊いてくる。

「自由業です」と僕が言うと、銀行のヒトはまたよくわからない顔をする。「大工さんですか？」と言う人もいる。そりゃね、まあたしかにジョギングパンツとゴム草履とサングラスで銀行に来る方もどうかと思うけど、なにも自由業↓大工という極端な発想することもないじゃないですか？　だいたい大工は自由業なのか？

それで仕方なく「んー、文筆業ですね」と言うと、「ああ、そうですか、土地の分筆をやっておられるわけで」と言う人もいる。これもよくわからないね。たしかに銀行員の発想としては筋がとおっているみたいだけど、「分筆業」なんて職種が世間にあるんですか？　僕は職業別電話帳を調べてみたけど、そんなものどこにもない。「分泌業」だってないし、「聞櫃業」だってない。ブンピツギョウといえば必然的に「文筆業」である。

でも面倒臭いから「著述業です」と言いなおすと、まあだいたい相手もわかってくれる。「まあ、直木賞でもおとりになったらうちにドドッと預金して下さいよね、ははは」と言って去っていく人もいる。こういう人はいったいどういう神経をしているのだろうか？　たぶん親切で励ましてくれているのだろうとは思うけれど、こちらとしては誰《だれ》が預金なんかするものかという気になってくる。

しかしこれもまだ良い方で、ひどいときになると「著述業です」と言っても理解してもらえないこともある。「ああそうですか、著述業ですか」と言うから、これでなんとか通じたなと思っていると、「じゃあ御卒業なさってボーナスの出たアカツキには是非当店で」なんて言われてガクッとしちゃったりする。三十六の男をつかまえて御卒業もクソもないじゃないかと思うのだけど、まあ銀行には銀行独自の価値観があり、世界の捉《とら》え方があるのだろう。僕にはよくわからない。いずれにせよボーナスシーズンの銀行にはなるべく近寄らないようにしている。良い目にあったことは一度もない。

しかし同じ銀行に二、三年通っているとそれなりに顔を覚えられて、ボーナスシーズンになっても〈あれはムダだから〉ということで誰も近づいてこなくなる。石の上にも三年というか、積みかさねは貴重である。僕が昨年まで三年通っていた協和銀行北習志野《ならしの》支店の人なんか僕の小説を読んで読書感想文を書き、行内コンクールで賞をもらったそうである。ひとくちに銀行と言ってもなかにはきっといろんな人がいるのだろう。もっとも僕は引っ越しマニアだから、引っ越すたびに各地の銀行で「あの、失礼ですが御職業は？」というのを何度もやりなおすことになる。本当に疲れる。

郊外住宅都市というのは正直言ってサラリーマンの巣のようなものであって、朝の九時をすぎると成人男子の姿というのは郵便配達と八百屋のおじさんの他《ほか》にはまったく見られなくなってしまう。あとには奥さんと幼児しか残らない。そんなところをぶらぶら散歩してゲームセンターに入ったり、鍋《なべ》を持って豆腐を買いにいったりしてるわけだから、近所からもあまり良い目では見られない。スーパーに行って買い物をしても、バーゲンの生理用品の大箱をどっさりと買い込んだ奥さんにレジで前後からはさまれて「なによ、嫌ねえ、昼間からこんなところに男がいて」と睨《にら》まれるのがオチである。自由業というのもいろいろとつらいことがあるのだ。どうしても自由業をやりたいという人はやはり東京の港区あたりに在住した方が無難であるようだ。

(早)(遅)ゲーム

スキゾ＝パラノだの、(ビ)＝(金)だのといろんな区分――差異化というんだそうだけど――が巷間《こうかん》に流行しているが、こういうのは何も日本に限ったことではない。アメリカだってヒップ＝スクェアとか、クール＝非クールだとか、そういう区分はこれまでにいっぱいあった。この手のゲームに面白《おもしろ》さを探すとしたら、それはそんな区分リストを冗談・パロディーとして受けとめる人とわりに真面目《まじめ》に受けとめる人の意識の落差の中にひそんでいるんじゃないかと僕なんかは思う。

アメリカに『インタビュー』という業界のヒトの間ではかなり有名な雑誌がある。発行人はアンディー・ウォーホールで、やたらと広告が多い。この雑誌は判が大きすぎていつも保存場所に頭を悩ませるのだが、それはまあここでは関係ない。

先日この『インタビュー』誌を読んでいたら「今、何がカッコ良いのか」というコラムが載っていて、これはなかなか面白かった。要するに様々な世間の物事を「遅れている（OUTSKI）」と「進んでいる（INSVILLE）」に分けてリストしているわけである。渡辺和博氏の選別システムを借用させて頂くなら(早)と(遅)ということになります。アメリカの風俗の最先端のことなので中にはよくわからない項目もあるけれど、わかるぶんだけずらりと列記してみる。上が(遅)で、下が(早)である。

マリファナ↓アスピリン
ハード・ドラッグ↓情事
NYヤンキーズ↓NYメッツ
『ヴァニティー・フェア』誌↓『アトランティック』誌
レゲエ↓メレンゲ（なつかしいなあ）
クール↓敏感さ（responsive）
クラブ↓レストラン
日本調↓タイ調
英国↓ドイツ
ジョギング↓チーム・スポーツ
インディー・ジョーンズのソフト帽↓野球帽
パーム・ビーチ↓マイアミ・ビーチ（理由はよくわからない）
ダンス↓オペラ

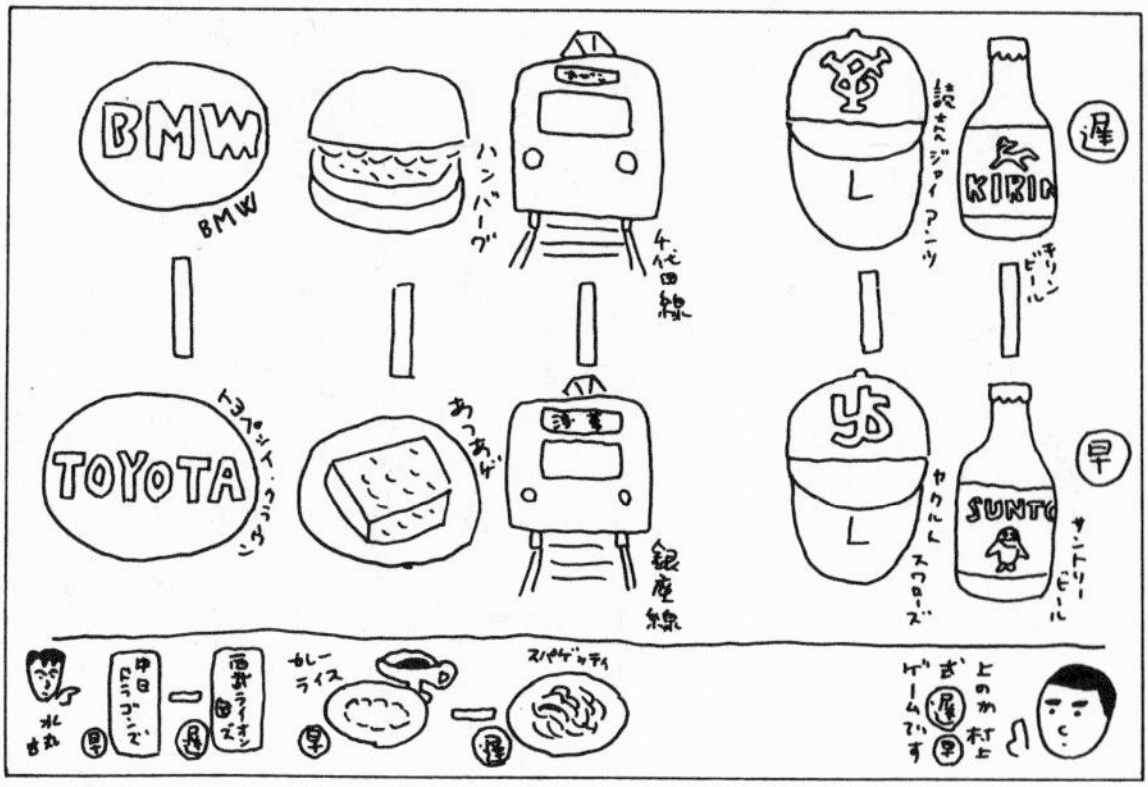

ノーマン・メイラー↓ゴア・ヴィダル
ロック・コンサート↓オフ・ブロードウェー
ニューヨーク・タイムズ↓ウォール・ストリート・ジャーナル
ダイエット↓美食
ローレックス↓スウォッチ（スイス製の安物時計）

……といったところである。中にはまあなるほどと思えるものもあるし、中には何のこっちゃというものもある。マリファナやコカインはパスしてアスピリンを飲み、クラシックなラブ・アフェアに浸り、ウォール・ストリート・ジャーナル（日経新聞に多少近い）を読み、オペラに通いつつニューヨーク・メッツを応援するというのが今のＮＹの先進的(早)人士の姿であるらしい。

しかしそうは言われても、つい昨日までディスコテックに通っていた人間が今日はメトロポリタン歌劇場に『魔笛』を観《み》に行ったり、昨日まで毎朝十キロジョギングしていた人が急に水球チームに入ったりするかというと、そんなことはまずありえない。(遅)だって好きなものは好き、(早)だって嫌なものは嫌というのがまっとうな人の生活である。それにこんなリストは空の雲のようなもので、見上げる度にかたちが変わっているということにもなりかねないのだ。

とはいうものの、最初にも書いたように、こういうのはゲームとしてはなかなか面白い。たとえば僕はサントリー・ビールを飲みながらヤクルト・スワローズを応援しているけれど、これだって自分勝手に(早)(遅)リストにしちゃうことはできる。

キリン・ビール→サントリー・ビール
読売ジャイアンツ→ヤクルト・スワローズ

……という具合だ。

千代田線→銀座線
なめこ→じゅんさい
ハンバーガー→厚あげ
BMW→トヨペット・クラウン

といくらでもつづけることができる。べつにこのリストには根拠というほどのものはない。ただ思いついただけである。銀座線はバタッと灯《ひ》が消えるところが好きだし、じゅんさいはなめこより美味《うま》い。僕の知っているさる美しい女性はトヨペット・クラウンに乗っておられるし、うちの近所の「小野豆腐店」の厚あげはなかなかいける。その程度のことである。しかしこういう風にきちんとしたリストに書きあげてみると、自分でもかなり先進的な生活を送っているような気がしてくるから不思議なものである。やり始めると病みつきになってしまいそうだ。世の中の人々がみんな自分勝手にこういうリストを作って、

「なに、まだ天重食べてるの？　これからはかきあげ丼《どん》の時代だよ」とか、「ワープロ？　イモだなあ。今はトンボ鉛筆がいちばんカッコ良いんだから」なんて自信を持って好き放題に生き始めたら、これはわりに面白そうである。

キリン・ビールのこと悪く言っちゃったけど、このあとで出た青ラベルのは、僕はわりに好きです。キリン・ビールの人、ごめんなさい。ま、極端な話、泡《あわ》が出りゃそれでいいという部分はある。

交通ストについて

こういう発言をすると電車通勤をされている方はあるいは不快に感じられるかもしれないけれど、僕ははっきり言って、「交通スト」というのが好きである。

とはいってもべつに運輸関係の労働者を支援しているとか、社会の混乱が好きだとか、そういうのではなくて（社会の混乱は少しは好きだけれど）、ただ単に「いつもと違ったこと」があると嬉《うれ》しいのである。駅が閉鎖されてしんとしていたり、山手線の陸橋の上から三十分間下の線路を見下ろしていても一本も列車が通らなかったりすると、胸がわくわくする。

もう少しくわしく分析してみると、僕は同じ「いつもと違ったこと」でも、いつもは何もないところに何かがあるよりは、いつもは何かがあるところに何もないというマイナス状況・欠落状況の方が好みみたいである。だから交通ストなんかはばっちりと趣味にあっている。もし反交通ストというものが存在して、その日は列車の本数が三倍に増えると言われても、そのような種類の非日常性はあまり僕の心をひきつけな

線路に寝ころんで
日なたぼっこをして
楽しんだ
村上さん そんな
ことしてると
トマトケチャップに
なりますよ

いだろうと思う。

以前商売をしていた頃、交通ストがあるとほとんどお客が来なくて営業的には迷惑したものだが、それでも個人的にはその当時だってストが大好きだった。お金が入ってこないのはそりゃ辛《つら》いけど、ストなんだから仕方ないや——というわけでこういう日にはさっさと店じまいして、ガランとして人気のない東京の街を心ゆくまで散歩したものである。原宿から渋谷、代々木から新宿と歩いていると、街ぜんたいに「今日はおやすみ」というのんびりした雰囲気《ふんいき》が漂っていて、静かだし人も少ないし、とても楽しい。なんとなく「放課後」という感じがしないでもない。歩くスピードもいつもよりいくぶんのんびりとしてしまうし、「お、ケヤキの若芽がずいぶん出てきたな」といつもはあまり気がつかないところにもふと視線がいってしまったりする。昼すぎに交渉が妥結して電車が動きだしたりすると、すごくがっかりする。

よく新聞に「もうストはうんざりですね、なんとかしてほしいよ」というサラリーマンAさん（38歳）とか、「ストの日は商売にならなくてメシの食いあげです」というホカホカ弁当屋（45歳）の発言なんかが載っているけれど、本当にそんな人ばかりで世の中が成り立っているのかしらん？　そりゃまあストのおかげでずいぶん迷惑する人もある程度はいるだろうけど、だいたいの人は「スト？　まあタマにはいいじゃない」くらいに考えているのではないだろうか？　僕みたいに「スト大好き」と断言する人だってけっこう沢山いるはずである。でも新聞にはその手の意見はあまり載らない。どうしてだろう？

「スト好きですね。長くつづくといいよね」なんて意見が出てくると紙面の収拾がつきにくくなるせいかもしれない。ま、たしかに収拾はつきにくいだろう。それにそういうのをフォローしはじめると、もっと進んで「台風が結構好き」とか「要人暗殺は愉快だ」というあたりの意見までフォローせざるを得なくなるのかもしれない。しかし労働者のスト権というのは一応（国鉄の問題はさておき）法律で保証されてるものなんだから、「ストが好き」と主張する人がいたって決して倫理にもとることはないはずである。台風支持や要人暗殺支持とはわけが違う。

以前国鉄中央線の線路わきに住んでいたことがある。それもちょっとやそっとのわきではなくて、裏庭を電車が通っているといってもオーバーではないくらいのわきである。もちろんすごくうるさいし、従って家賃も安い。家賃が安いんならうるさくたっていいや、というような人が住む家である。

だから我々（というのは僕とつれあいのことですけれど）は毎年の交通ストがすごく楽しみだった。ストが始まって列車がレールの上を走らなくなると、我々は線路わきに寝転んでのんびりとひなたぼっこをした。線路わきにはけっこういろんな野草がはえ、鮮かな色あいの花が咲いている。頭上にはヒバリが啼《な》き、あたりはノアの洪水《こうずい》が引いたあとみたいにしんとしている。このまま新石器時代に戻《もど》っちゃうのも悪くないな、という気さえするほどである。

この前スト予定日の前日に夜の街をぶらぶらと歩いていたら、知りあいの女の子とばったり出会った。それで「あれ、こんな遅く何してるの？」と訊《たず》ねたら、「明日ストだから、会社がホテルとってくれたの」というので、「じゃあ、これからどっかに飲みにいこうよ」ということになって、これもけっこう楽しかった。中にはそういうチャンスを利用して、うまくオフィス・ラブに耽《ふけ》っておられる人々もいるに違いなかろうが、そういう人々のストに対する個人的意見ももちろん新聞には載らない。

関西弁について

僕《ぼく》は関西生まれの関西育ちである。父親は京都の坊主《ぼうず》の息子で母親は船場《せんば》の商家の娘だから、まず百パーセントの関西種と言ってもいいだろう。だから当然のことながら関西弁をつかって暮らしてきた。それ以外の言語はいわば異端であって、標準語を使う人間にロクなのはいないというかなりナショナリスティックな教育を受けてきた。ピッチャーは村山、食事は薄味、大学は京大、鰻《うなぎ》はまむしの世界である。

しかしどういうわけか早稲田《わせだ》に入ることになって（早稲田大学がどういう大学かというのも殆《ほと》んど知らなかった。あんなに汚いところだとわかっていたらたぶん行かなかった）あまり気が進まない東京に出てきたのだが、東京に出てきていちばん驚いたことは僕の使う言葉が一週間のうちにほぼ完全に標準語——というか、つまり東京弁ですね——に変わってしまったことだった。僕としてはそんな言葉これまで使ったこともないし、とくに変えようという意識はなかったのだが、ふと気がついたら変わってしまっていたのである。気がついたら、「そんなこと言ったってさ、そりゃわかんないよ」という風になってしまっていたのである。

同じ時に東京に出てきた関西の友だちには「お前なんや、それ。ちゃんと関西弁使《つこ》たらええやないか。アホな言葉使うな」と非難されたけれど、変わっちゃったものはもうどうしようもないのである。

僕は言語というのは空気と同じようなものであると思う。そこの土地に行けばそこの空気があり、その空気にあった言葉というものがあるのであって、なかなかそれにさからうことはできない。まずアクセントが変わり、それからボキャブラリーが変わる。この順序が逆になると、なかなか言語はマスターできないものである。ボキャブラリーというのは理性的なものであり、アクセントは感性的なものだからだ。

だから僕は関西に帰るとやはり関西弁になる。新幹線の神戸駅に降りると一発で関西弁に戻《もど》ってしまうのである。そうなると今度は逆に標準語がしゃべれなくなる。友だちに言わせると「お前の関西弁ちょっとおかしいんと違《ちゃ》うか」ということらしいが、さっき着いたばかりなのだから仕方ない。一週間くらいいれば完全な関西弁になれると思う。

僕のつれあいは三代以上つづいた山手線内側っ子（というんだそうである）だけれど、この人もしばらく関西にいると、すぐに関西弁になじんでしまって、「すんませ

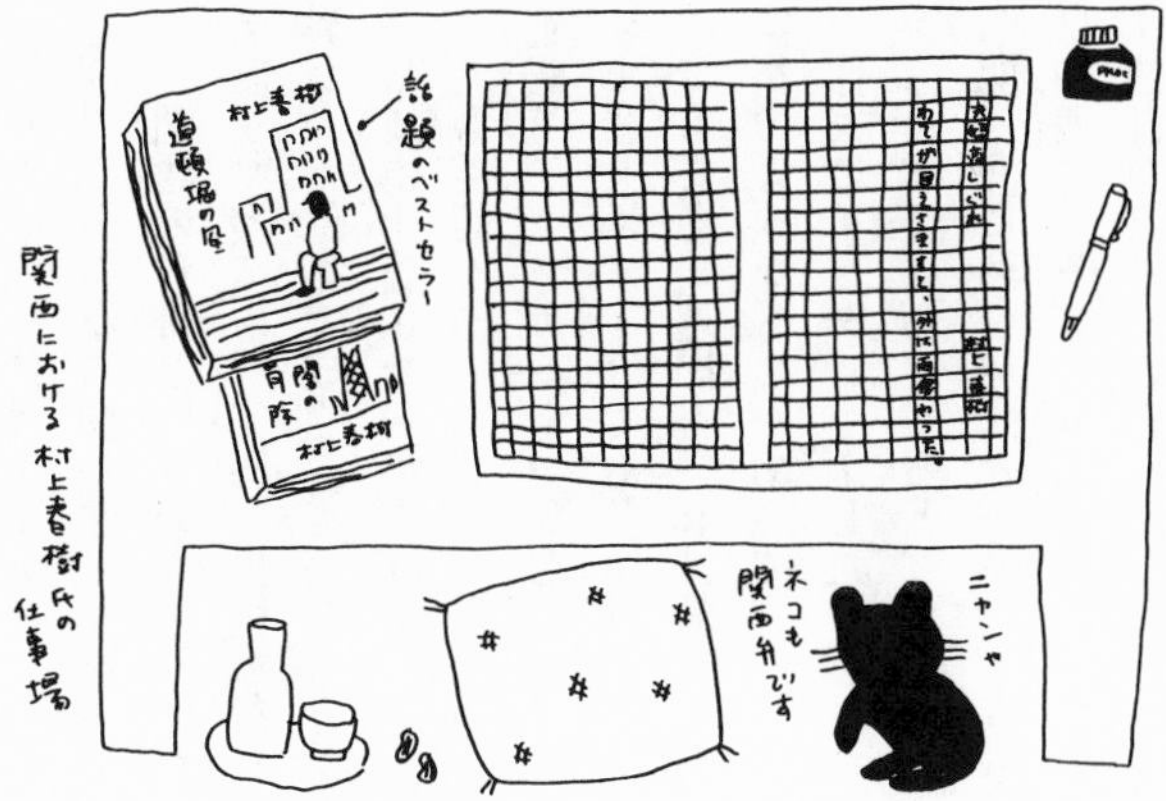

ん、ここに行くのどう行ったらええんでしょうか?」などと人に道を訊《き》いたりしている。他人のことは言えないけれど、はたで見ているとおそろしいものである。一緒に市川崑《こん》の『細雪《ささめゆき》』を観たあとなんかしばらくアクセントがもとに戻らなくて大変に迷惑をした。

関西を舞台にした映画を観ていると、役者にも方言の習得がうまい人と下手な人がいてなかなか面白い。うまい人は空気のようにサラッとイントネーションを身につけているし、下手な人はボキャブラリーに頼りすぎていることがよくわかる。こういうのは天性のものかもしれない。最近の例でいうと『細雪』が言語的にまずまずの及第で、『道頓堀川《どうとんぼりがわ》』はひどかった。昔のものでは『夫婦善哉《めおとぜんざい》』という素晴らしい関西弁映画があった。しかしもちろんこういう差はネイティブ・スピーカーにしかわからない。栃木の人は『遠雷』を観て、あんなの栃木弁じゃないよと言うが、僕にはそんなことまるでわからない。外国語の習得というのも、だいたいそれと同じようなものである。日本でいくら英会話をやっても、実際に外国に行ってみると、言語というのはそういうのとはかなり異なった位相で成立していることがわかる。僕は翻訳なんかもやっていて英語を読むのはまあ不自由ないのだが、会話が苦手で、昨年はじめてアメリカに行くまでは殆ど一言も英語を話したことがなかった。学校のＥＳＳとか英会話教室なんかでみんなが英語でディスカッションしているのを見ると寒気がして——これはもちろん偏見です、すみません——とても英会話なんてやる気になれなかったのである。

でもまあ一週間もいれば馴《な》れるさ、と思って行ってみると、そこにはやはりそこの空気のようなものがあって、それほどの不自由も感じずに一カ月半暮らして、いろんな作家にインタビューしたりもした。こういうのはやはり順応力の問題だと思う。だから日本に帰ってくると、またあまり英語がしゃべれなくなってしまう。

関西弁に話を戻すと、僕はどうも関西では小説が書きづらいような気がする。これは関西にいるとどうしても関西弁でものを考えてしまうからである。関西弁には関西弁独自の思考システムというものがあって、そのシステムの中にはまりこんでしまうと、東京で書く文章とはどうも文章の質やリズムや発想が変わってしまい、ひいては僕の書く小説のスタイルまでががらりと変わってしまうのである。僕が関西にずっと住んで小説を書いていたら、今とはかなり違ったかんじの小説を書いていたような気がする。その方が良かったんじゃないかと言われるとつらいですけど。

映画館について

長編の仕事もやっとかたがついて、ゲラの校正も終わり、あとは出版を待つばかり――というあたりが僕にとってはいちばん心楽しく、また平穏な時期である。書きたいことは一応書いてしまったし、とりあえずやるべきこともないし――と言いながらときどきは生活のためにまあこういう原稿を書いてはいるわけですけれど――ぼんやりと春の光を浴びて猫《ねこ》と一緒に毎日縁側で日なたぼっこをしている。僕は自分の書いたものが活字になって世間に出るまではどうしても次の小説にとりかかれない性格なもので、何カ月かはいやおうなしに遊んで暮らすことになる。

こういうエアポケットのような気楽な時期にはだいたいまとめて映画を観《み》る。最近はヴィデオソフトも増えたし、僕もよくレンタルショップのお世話になるのだが、やはりこのような暇な時期には映画館まで電車に乗ってでかけ、暗い中でスクリーンを睨《にら》み、帰りにビヤホールで一杯飲んで帰ってくるのがいちばんである。映画館で観ている限り、女房に「ねえねえ、あのダイアン・キートンのはいてるスカートいいと思

わない？」なんてつつかれずに済むし、「ねえ、ちょっと巻き戻して。あのフロアスタンド高そうねえ」なんてこともない。フロアスタンドなんてどうでもいいじゃないか。
　この春もそんなわけで実に沢山の映画を観た。『デューン・砂の惑星』を観て、『タ－ミネ－タ－』と『２０１０年』を観て、『リトル・ドラマ－・ガ－ル』を観て、『ネバ－エンディング・スト－リ－』を観て（どうしてタイトルを邦訳しないんだろう？）、『恋におちて』と『シュ－ト・ザ・ム－ン』を観て、『アマデウス』を二回観て、『ベスト・キッド』を観て、忙しくて見逃していた『ボ

ディー・ダブル』と『若き勇者たち』（これは『エスカイヤ』選定の１９８４年度ワーストフィルム）を二番館でフォローして、久し振りににっかつ映画も観て……と、もう手あたり次第である。これくらいぶっつづけに映画館に通うとさすがに映画を観たなあという手応《てごた》えのようなものが感じられる。

　映画というのは椅子《いす》にどっかりと腰を下ろして頭をからっぽにしていると向こう方で勝手にどんどん進んでいってくれるから非常に楽である。これが芝居とかコンサートだと「今日はノリが悪いんじゃないか」とか「どこかでアクシデントがあるんじゃないか」とか「拍手はこの程度でいいんだろうか」とか、それなりに気を使わなくてはならず、なかなか頭を空っぽにすることはできない。だからこちらのテンションが落下しているときには罪のないハリウッド映画をボケッと観ているのがいちばんである。啓発されたりするとかえって不愉快になってしまったりする。今回観た一連の映画はどれもわりに面白《おもしろ》く、幸い啓発させられるところもなくて、楽しい時間を過ごすことができた。

　トルーマン・カポーティはその小説の中で映画を宗教的儀式にたとえているが、たしかにそう言われてみればそういう気もしないではない。暗闇《くらやみ》の中で一人ぼっちになってスクリーンと対峙《たいじ》していると、何かしら自分の魂が暫定《ざんてい》的な場所に棚《たな》あげされているような気分になってくる。そして何度もつづけて映画館に通っているうちに、そういう気分が自分の人生にとっては欠くべからざる重要なファクターではないかと思えはじめてくるのである。これがいわゆるシネマディクト（映画中毒）である。

僕にもかつてそういう時期があって、このときはもう毎日のように映画館に通った。ちょうど学園紛争の頃《ころ》で授業なんて殆どなかったから、アパートとアルバイト先と映画館というトライアングルをぐるぐるとまわっていたようなものである。もちろん毎日毎日観るだけの数の映画はないから結局同じフィルムを何度も繰りかえして観たり、箸《はし》にも棒にもかからないB級C級の作品を骨でもしゃぶるような思いで観ることになる。そのうちに夢の中でMGMのライオンが吠《ほ》えたり、東映の波が砕けたり、二十世紀フォックスのライトがジングルつきで回転するようになる。ここまでくるとこれはもう完全な病気だ。

しかし今にして思うと、いわゆる「名作」というものよりは観るべき映画がなくて仕方なく繰りかえして観たフィルムや、明らかに無内容な作品の方がしっかりと身についているから不思議なものである。無内容なB・C級作品というのはいわゆる「名作」とちがって自分でなんとか良いところを見つけようと努力してかからないと純粋な時間の消耗と化してしまうことになる。だからそういう緊張感がそのまましっかりと心に焼きついてあとあとまで記憶に残っているのではないのだろうか？　ひとくちに映画といってもいろんな観かたがある。

今回観たフィルムの中でそういうB・C級作品鑑賞の醍醐《だいご》味《み》を味わわせてくれたのはなんといってもジョン・ミリアスの『若き勇者たち』であった。みんなはこの映画を好戦的で荒唐無《こうとうむ》稽《けい》な映画だと言うし、たしかにまあそのとおりなのだけれど、よくよく観るとかなり面白いところもある。僕がいちばん面白いと思ったのは、アメリカがソ連とキューバの連合軍に侵略・占領され、それに対してアメリカの少年たちがゲリラ戦で抵抗するというシチュエーションで、これは考えてみればベトナム戦争におけるアメリカ人の立場と位置関係がまったく逆転しているわけである。もちろんシチュエーションそのものにかなり無理があるから、作品自体としては自己分裂的になっているわけだけれど、そういう自己分裂的なぶんだけ考えようによっては二枚腰の強《きょう》靱《じん》な反戦争映画として成立しているんじゃないかと思えないでもない。

僕はそういう「思えないでもない」というタイプの映画がわりに好きです。

その後、『若き勇者たち』のヴィデオ・ディスクを買って見なおしてるんだけど、やはりそれほど悪くないと思う。『ロッキー4』とか『ランボー2』とかいったもっと露骨な反共も

のが出てきた今となっては、ある部分は上品にさえ映る。ミリアスはちょっと早く出てきすぎたんじゃないのかなあ。

ダークブルー・スーツ

僕が生まれてはじめてスーツを着たのは十八の歳《とし》だった。今でもよく覚えているけれど、VAN・JACKETのグレーのヘリンボン・スーツである。シャツは白のボタンダウンで、タイは黒のニット。アイヴィー全盛の頃の話である。

僕はヘリンボン（杉綾《すぎあや》）という柄《がら》が大好きで、最初にスーツを作るならこれしかないと常々思っていたのだが、いざ作ってみるとヘリンボンのスーツというのは十八歳の少年にはあまり似合わなかった。ヘリンボンを着こなすにはやはりそれなりの年季が必要なのである。

二着めのスーツは結婚したときに作った渋いオリーブグリーンのブリティッシュ・スタイルのスリーピースで、これは——自分で言うのも何だけど——わりによく似合った。そのときに写した写真を見ると、髪が長く今よりもずっとやせていて、顔にはそれなりの決意のごときものがうかがえる。二十二のときのことである。

僕は就職というものをしなかったので、三着めのスーツを作ったのはずっとずっと

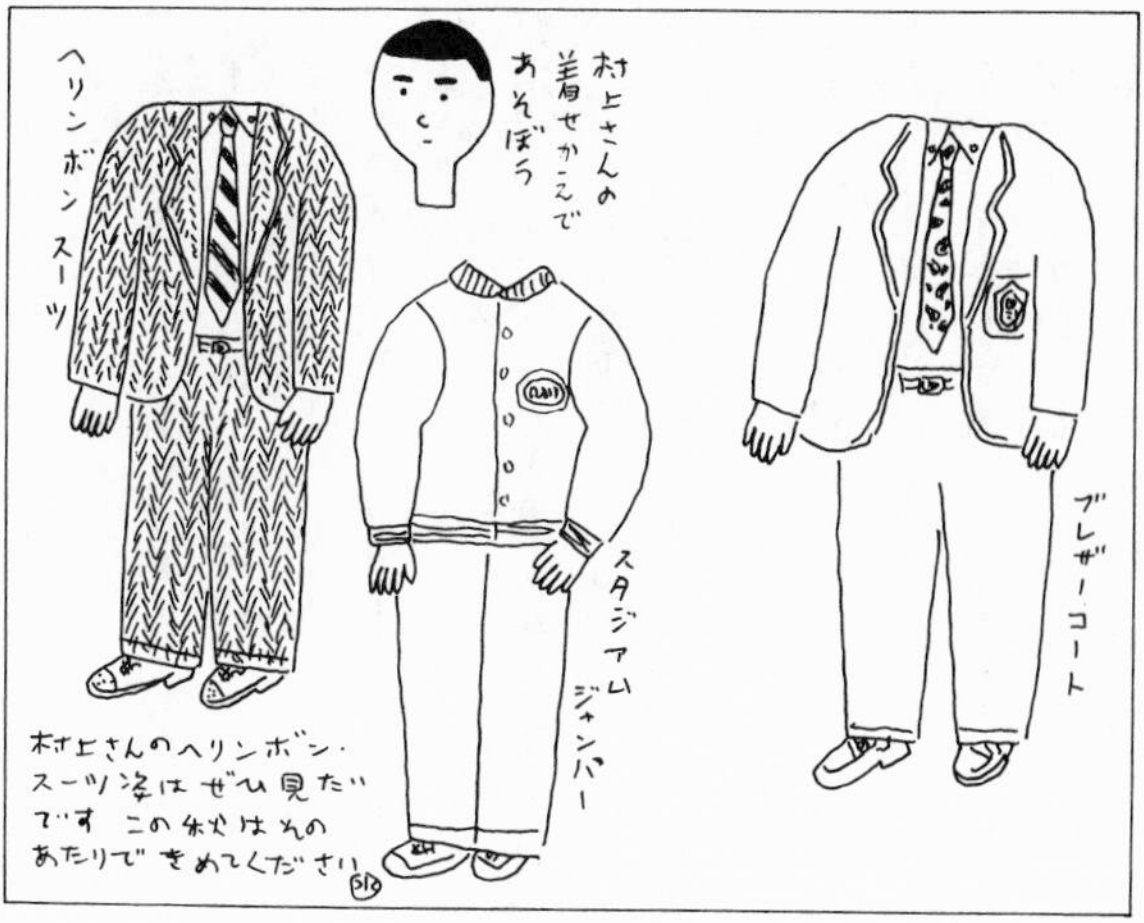
ヘリンボンスーツ
村上さんの着せかえであそぼう
スタジアムジャンバー
ブレザーコート
村上さんのヘリンボン・スーツ姿はぜひ見たいです この絵はそのあたりできめてください

あとのことになる。二十九の歳にたまたま応募した『群像』という文芸誌の新人賞に当選（というのかな？）して、その授賞式に出るためにわざわざサマースーツを買ったのである。しかしその頃にはスーツに対する憧憬《どうけい》・執着のようなものは既に消滅していたので、なるべく安い良い加減なものを買ってやろうと決めた。当時は僕もずいぶんつっぱっていて、文芸誌の新人賞授賞式ごときに出るためにちゃらちゃらと高いスーツなんか買えるかと思っていたのである。今にして思えばかなり生意気だったのだろう。まあ今でも結構生意気だけれど、若い人には勝てない。

それでどんなスーツを買おうかなと思

って散歩ついでに青山通りをぶらぶら歩いていると、昔のVANのビルで倒産バーゲンのようなものをやっていた。そうかVANもつぶれちゃったんだなあ、と思って中に入ってみると、昔ながらの三ツボタンのコットンスーツを売っていた。オリーブグリーンで、値段は一万四千円である。すごく安い。それを買って帰り、洗濯機《せんたくき》で洗ってくしゃくしゃにし、古いテニスシューズをはいて授賞式に出た。

今の僕のワードローブ——というほどのものじゃないけど——には一着のスーツしかない。ポール・スチュアートで買った黒いスーツだけである。これは純粋に冠婚葬祭用であって、まだ一度しか着たことはない。この先スーツを買うこともたぶんないだろう。あんな面倒臭いものは着ないで済ませることができればそれに越したことはないと僕は考えている。値段は高いし、動きにくいし、すぐにスタイルが変わるし、クリーニング代もかかる。ごくごくまれにスーツを着て街に出ようという気になることはあるが、二時間くらい歩いてみると、ああ嫌《いや》だ、こんなもの着てこなきゃよかったとつくづく後悔する。あれは絶対に不自然な衣服である。

ネクタイをしめる必要のあるときは全部ブレザーコートですませる。僕はブルックスブラザーズのブレザーコートが好きで、なんのかんのと六着も買ってしまった。ネクタイをしめるのは二カ月に一回くらいのものだから、いささか買いすぎの感があるが、だいたいが被服費のほとんどかからない生活をしているからこれくらいの贅沢《ぜいたく》は許されてもいいはずである。ただしダブルブレストのブレザーコートを着てホテルのフロアにぼんやり立っていると、フロア・マネジャーに間違われることがある。大阪のロイヤルホテルでは三回も声をかけられて、さすがにうんざりした。「おい、なんとかの間の用意できとるか？」なんてね、そんなことわかるわけないじゃないか。

スーツの話とは関係ないけれど、僕はいろんなところでよくいろんな人と間違われる。一度池袋の東武デパートで買い物をしていたら、アルバイトの従業員と間違えられて「おい、こら、お前なんで名札をつけてないんだ！」と偉そうなおじさんに叱《しか》られたことがある。あまりのことにこちらも唖然《あぜん》として「はっ！」と言っているうちに、相手はどこかに消えてしまった。東武デパートにべつに恨みはないけど、あれは今思いだしても不思議な体験である。

閑話休題。スーツの話に戻《もど》る。

僕は自分ではスーツは殆《ほとん》ど着ないけれど、上手《うま》くスーツを着こなした人を見ると、それはそれなりになかなか気持ちの良いものである。しかしそれにはやはり年季がかかるし、哲学も必要なのだろう。僕はどちらもないから、なかなか上手くスーツを着ることはできない。

米化粧品界の大立者であった故チャールズ・レヴソンは生涯《しょうがい》を通じてダークブルーのスーツしか着なかった。彼はビル・フィオラヴァンティというテーラーに約二百着のダークブルー・スーツを作らせてそれを順番に着ていたというから、ここまでくるともう哲学の領域をはるかに越えている。『エスカイヤ』誌にいわせるとダークブルーという色はある種の権威や力を際立《きわだ》たせ、それを着ている人物に「今働いているのだ！」という印象を賦与《ふよ》するのだそうである。さすがに一代でレヴロン帝国を築きあげた人だけあって、色に対する感覚が鋭いのである。

その話を読んでから、街に出ると気をつけてまわりを見るようにしているのだが、ダークブルー・スーツをりゅうと着こなした人というのはなかなかいないものである。きっとダークブルーのスーツを野暮にならずに着こなすというのはむずかしいことなのだろう。

噂《うわさ》!

噂というのはあれはあれでなかなか面白《おもしろ》いものである。僕は交遊関係があまり広い方ではないので——はっきり言って狭い——あまりそういうことはないのだが、それでも僕のまったくあずかり知らない僕についての噂が耳に入ってくることがときどきある。今のところありがたいことにそれほど悪い噂は入ってこなくて、「村上がBMWを買ったらしい」とか(買うわけないじゃないか)、「村上は厚あげを毎日三枚食べるらしい」とか(一枚しか食べない)その程度のことである。

よくわからないから、「どうして僕が厚あげを一日に三枚も食べなくちゃいけないんですか?」と相手に訊《き》いてみると「だって雑誌のインタビューでそう答えてたじゃないですか」と言われた。よく考えてみるとたしかにそんなことを言った記憶はある。いくつかインタビューを受けると、質問というのはだいたい同じようなものだから、退屈でときどき口からでまかせの出鱈目《でたらめ》を答えてしまうのである。「好物? 厚あげですね。一日三枚は食べるなあ」なんていう具合である。BMWのことだってどこかで冗談で言ったのかもしれないが、全然思いだせない。こんな風に世の中をなめて生きていると今にひどい目にあいそうな気がする。とにかく僕のインタビューはあまり信用しないで適当に読んで下さい。ときどき自分で読みかえしてみても唖然《あぜん》とすることがあるくらいだから。だって、「年収は?」なんて訊かれて真面目《まじめ》に答える人いないんじゃないかな?

しかしそれはさておき、害のない噂というのは楽しい。文壇にもいろんな噂があって、たまに編集者に会って「実はね、村上さん、ここだけの話ですけど——」なんてひとつふたつ業界の噂話を聞くと「そうか、そういうこともあるのか」と社会参加をしたような気分になる。しかしそういうのはもちろん氷山の一角のそのまたかけらのごときものであって、新宿ゴールデン街にどのような氷柱がそびえているのかは僕の知る限りではない。

ペンギンブックスに『RUMOR!(噂)』という本がある。これはアメリカに流布《るふ》している様々な噂が嘘《うそ》か本当かをきちんと解説したなかなか面白い本だが、これを読んでいると世間には実にいろんな噂があるものだなあとつくづく感心してしまう。

たとえば「ジョン・ディリンジャーのペニスはあまりに大きかったのでスミソニアン博物館に保存してある」という噂は嘘で、「アインシュタインの脳はウィチタの医

古いなあ
♬ウワサを信じちゃいけないよ
山本リンダのつもり
こんな歌あったんだっけ
※村上さんはテレビを見ない人です
これはぼく（水丸）が想定して描きましたが
いつも暇そうなとこばかり描いて
スミマセン

者が瓶《びん》に詰めて保存している」というのは本当である。アインシュタインは死後自分の脳を研究用に役立ててくれと言い残して死んだのだが、それがまわりまわってウィチタにまで流れ、瓶詰めになってサイダーの箱の中に放りこんであるということである。

「1943年鋳造の一セント銅貨をフォード社に持っていけば新車を一台くれる」という噂もあって、これはデマである。しかし1943年の一セント銅貨は稀少品《きしよう》で、実際には新車一台ぶんくらいの価格で取引されているそうだから、まるっきりのデマとは言えない。

米版『プレイボーイ』の表紙タイトルのPの字にいくつか小さな星がついているが（1978年以前の『プレイボーイ』をお持ちの方はチェックしてみて下さい）、これが編集長ヒュー・ヘフナー氏とプレイメイトのその月のセックスの回数を表していると信じている人も多かった。しかしこれは——残念ながら——デマである。『プレイボーイ』は地域・用途によってエディションを変えており、星の数はそのマークだったのだ。

文学関係では「トマス・ピンチョンはJ・D・サリンジャーのペンネーム」というものすごい噂がある。これは本当——というのは嘘で、まったくのデマである。サリンジャーが自宅にとじこもり、ピンチョンが写真を発表しないで人前に姿を見せないせいでこういう噂が流布することになった。かく言う僕も秘密のペンネームをふたつほど持っていますけれど。

「ジェリー・ルイスはフランスではチャップリンと並ぶ高い評価を受けている」という噂は本当である。その理由はわからないが、おそらくフランス人がワインを飲みすぎるせいであろう、と著者は述べている。

それからグリコ・森永事件を見てもわかるように、食品関係の会社は根拠のないデマの犠牲になりやすい。たとえばマクドナルド・ハンバーガーに入っていると噂されたものだけで、猫肉《ねこにく》、カンガルー肉、蜘蛛《くも》の卵、地虫……と数えあげていけばきりがない。だからこそマクドナルド社は広告でいつも〈100%ビーフ〉を強調しているわけである。

先日ある女性編集者に「村上さんって結構ワルイんですってね。やだわ」と言われたけど、その噂の発生地をたどってみると案の定安西水丸氏であった。困るんだよな、そういうの。

何故《なぜ》私は床屋が好きなのか

最近の若い男性の多くはユニ・セックスの美容室に行って髪を切るみたいだけれど、僕はどちらかというと昔ながらの床屋の方が好きである。だいたいが芸のないヘア・スタイルをしているというせいもあるけれど、美容室に行かないいちばんの理由は女の人のとなりで髪を切られたり洗われたりするのがどうもおちつかないからである。それにカーラーを巻きつけられたり、顔を剃《そ》られたり、頭にドライヤーをかぶせられてポケッとした顔で週刊誌を読んだりしている女性の姿を見るのもあまり好きではない。

僕はそういうのが前々からわりに気になっていたので、何人かの女の子をつかまえて「美容室でとなりの席に男がいるのって嫌じゃない?」と訊いてみたのだが、彼女たちはやはり一様に、「うん、あまり気分の良いものじゃない」と答えた。僕はずっと男女共学で育ってきたから女の子と同席すること自体には何の抵抗感もないのだけれど、髪を切ることに関してはやはり男女べつべつの方が気楽である。だから例のね

ジャブ
ジャブ
パチ
パチ
床屋さんは時々頭の中で盆栽のことなど考えながら髪をカットするのでご注意くださり

じり飴《あめ》みたいな看板の立った町の床屋にずっと通っている。しかしこれはもちろんあくまで個人的な趣味の問題であって、「男はみんな床屋に行くべし」といったような確固とした主張があるわけではない。それにもしそんなことになったら床屋が混《こ》んで困る。美容室に行きたい人はどんどん美容室に行っちゃって下さい。

個人的な話をすると――といってもこの連載は個人的なことしか書いてないんだけれど――僕の行きつけの床屋は千駄ケ谷《せんだがや》にある。僕は今のところ藤《ふじ》沢《さわ》に住んでいるので、二カ月に三回の割合で小田急のロマンス・カーに乗って、千駄ケ谷まで髪を切りに来る。なんのかんのと片道一時間半はかかるから、暇といえば暇、物好きといえば物好きな話である。

藤沢の前は習志野に住んでいて、このときもやはり片道一時間半かけてこの床屋に通っていたのだが、総武線快速よりは小田急ロマンス・カーの方が風情《ふぜい》があるし、安いし、アップル・ティーだって飲めるので、僕としては今の方がずっと楽である。習志野に行く前は千駄ケ谷のこの床屋の近所に住んでいた。だからかれこれ八年くらいのつきあいである。

なぜそれほど引っ越しに引っ越しをかさねながらもずっとしつこく床屋を変えないかというと、新しい床屋に行くのがすごく面倒だからである。新しい床屋に行くと、いろんなことを最初からいちいち説明しなくてはならない。まず僕は会社員ではないからあまりぴったりとした髪型にする必要はないし、三週間に一度髪を切るからそれほど短くする必要もないという基本姿勢を納得してもらわねばならない。それから細部の説明に移る。耳の上はどれくらいの長さで、わけめはどのあたり、髭《ひげ》は剃らない、毎朝髪を洗うからシャンプーはざっと一度洗い、ヘア・リキッドはなし……と説明しているとそれだけでぐったり疲れてしまう。それにどれだけ説明しても、説明どおりやってくれるとは限らない——というかまずやってくれない。とくに地方都市の場合はひどくて、大抵「かりあげ君」みたいに短くされてしまって、四、五日は憮然《ぶぜん》として家に籠《こも》ることになる。こういうのは大変に困る。

その点行きつけの床屋だと、ドアを開けて「こんちわ」と言って椅子《いす》に座るだけで、あとは眠っていてもいつもどおりきちんと仕上げてくれる。こんな楽なことはない。

僕が考える良い床屋の条件の第一は職人（要するに理容師の人）があまり入れかわらないことである。ときどき行くたびに職人の顔が変わっているという店があるが、これではこちらもおちつかないし、そのたびにまた説明をしなおさなくてはならないから、行きつけの床屋をつくる意味がなくなってしまう。それに何よりも人の出入りの少ない床屋にはきちんとした雰囲気《ふんいき》があるし、腕も安定している。これは寿司《すし》屋の板前と同じことだ。

第二にはやたら話しかけないでいてくれること。まったく話をしないというのも味気ないものだけれど、僕は床屋でぼおっとしているのがわりに好きなので、話しかけられすぎると疲れる。「もう春ですね」「あったかいですねえ」「お花見には？」「いや忙しくて」くらいが理想的である。僕の行く床屋さんにはジョギング好きの人がいて、ときどきレースの話なんかをちょこっとしたりする。

第三はBGMに品の悪いラジオ番組がかかっていないこと。最近は午後に主婦向けのお色気番組がやたら多くて、あれを聴いていると本当に疲れる。「主人ったら、私が台所で洗いものなんかしていると、いつもうしろからスカートの中に手を入れてくるんですうん。でも私も嫌《きら》いな方じゃないからあ……」なんてやられると頭が芯《しん》からぐらぐらしてくる。最近の主婦はみんないったい何を考えているのだろうか？

本当はＮＨＫ・ＦＭの「お昼のクラシック」なんてのがバックに流されているのが理想なのだが、まあ床屋でブラームスを聴くというのも少々スノッブにすぎるので、ここはＮＨＫ第一放送くらいが好ましい。ＮＨＫラジオなんて床屋くらいでしか聴けないし、じっと聴いていると結構面白い。少なくとも、「世間は広いんだなあ」という気がしてくる。パーシー・フェイス・オーケストラの演奏する『青い山脈』なんて青山の美容室ではまず聴けないはずである。朝の十一時半ごろにやっている小説の朗読というのも床屋の椅子で聴いているぶんにはなかなかである。

今はもっと遠くなって、片道二時間近くかかるけれど、やはり同じ床屋に通っております。パーシー・フェイスの『青い山脈』は途中で格好良いフォー・バースの応酬があったりして、なかなかの熱演である。

ベルリンの小津安二郎と蚊取り線香

先日小津安二郎の映画がレーザーディスクになったので三枚まとめて買ってきた。『晩春』と『麦秋』と『東京物語』である。製作年度は昭和二十四年、二十六年、二十八年、三本とも原節子と笠智衆《りゆうちしゆう》が出演している。

僕《ぼく》は日本映画では小津と成瀬巳喜男《なるせみきお》の作品がとくに好きで名画座なんかではわりに小まめに観《み》ているのだが、そういうリバイバル・プログラムをやる小屋はだいたいが小さいので、いつも満員だし、トシのせいもあって、そんなところで二本三本とつづけて映画を観るのは結構しんどい。その点レーザーディスクやヴィデオはとても楽である。とくに白黒スタンダード・サイズの古い作品はスクリーンで観るよりずっと画質が良いということもままあって、家庭でのんびりと観るには最適である。「えーと、小津の新しいディスクが入ったんだけど、昆布茶《こぶちや》でも飲みながら家で一緒に観ませんか？」と女の子を誘うこともできる。相手が喜んで来るかどうかまでは保証できないですけど。

実は一度ドイツで『東京物語』を観たことがある。ベルリンのホテルに泊まっていてTVを何気なくつけたら、放映していたのである。タイトルはたしか『ディー・ライゼ・ナッハ・トキオ（東京への旅）』となっていて、科白《せりふ》はドイツ語吹きかえであった。だから東山千栄子に「お疲れになったでやんしょ?」と訊かれて、笠智衆が「うんにゃ」と答えるところは「Nein!」となっている。「うんにゃ」が「ナイン!」である。これはすごく不思議な気がした。アメリカ人も日本のTVで吹きかえのアメリカ映画を観て、きっと不思議な気持ちになるのに違いない。

ドイツで『東京物語』を観てつくづくと感じたのは、日本人が——少なくとも当時の日本人が——やたらにお辞儀をすることである。日本語で観ているぶんにはそれもあまり気にならないのだが、ドイツ語で観ているとものすごく気になる。

たとえば客が「それでは、どうも、お邪魔いたしました。失礼いたします」と言って辞去しようとする。そして何度も深々と頭を下げる。ところがこれがドイツ語だと、たった一言「アウフヴィーダーゼーエン」で済んでしまう。だから口の動きにちゃんとあわせると「アー……ウフ……ヴィー……ダ……ゼ……エ……ン」ということになってしまう。まあこれは極端なたとえだけれど、要するにあってもなくてもいいような科白がやたらに多い。

「そうかね?」

「そうですよ」

「やはり、そうかね?」

「そうじゃありませんか」

「やはり、そうだね」

「そうですよ」

なんて科白をドイツ語でやられると、なんだか形而上学的色彩をさえ帯びてくるから不思議である。

「そーであるのか?」

「そーであるのだ」

「そーであるべからざることなきか?」

「そーであるべからざることなきなり」

「そーであること、然《しか》り」

「然り」

という具合である。僕のドイツ語は相当い

い加減だから、本当にそう言ってるのかどうかは責任は持てないけれど、語感から言うと、かなりそういう弁証法的雰囲気が漂っているように感じられる。難解といえなくもない。フランス語やイタリア語吹きかえで観る小津映画にはまたそれなりの趣があるのだろう。二度三度とは言わないけれど、一度観てみたいものである。僕は英訳のバルザックが好きという奇妙な趣味の持ち主だからとくにそう思うのかもしれないけれど。

『晩春』や『麦秋』は北鎌倉《きたかまくら》が舞台になっているので、江の島や七里ケ浜のあたりの風景がよく出てくる。映画で観ると昭和二十四年当時の七里ケ浜には車なんてほとんど走っていなくて、とても静かそうである。もちろんサーファーもいない。ジョギングをしている人もいない。その頃《ころ》の人々はきっとみんな忙しかったのだろう。小津安二郎の撮るそんな風景はいつもしんとして、風もなく、日だまりのような心地良い光にあふれている。僕は（とくに昭和二十年代の）小津映画に出てくるそういう風景が好きで、何度も何度も繰り返して観ることになる。おそろしく様式的なくせに、妙に生々しいのである。

それからこれは細部に関することなのだが、『東京物語』の中でどうしてもひとつわからない部分がある。蚊取り線香の部分である。たしかこの映画には蚊取り線香の出てくるシーンが三カ所あるのだが、そのどのシーンでも蚊取り線香がみんな縦になっているのだ。ちょっと前に縦型のレコードプレーヤーが流行《はや》ったことがあるけれど、ちょうどあんな風に立ったまま火が点《つ》いているのだ。

僕はそれがとても不思議だったので、蚊取り線香を縦にする方法とその利点についていろいろと思いをめぐらしてみたのだが、どう考えてもよくわからない。当時はそのような縦型蚊取り線香が存在したのだろうか？　それとも小津美学に従って蚊取り線香は無理やりに縦に向けられたのだろうか？　そしてドイツ人たちはそれが蚊取り線香であることをちゃんと理解できたのだろうか？　まあどうでもいいようなことなんだけど。

最近ディスクで出た『東京暮色』には僕も水丸さんも感服しております。あのワルのバーテンがなんともいえずいい。蚊取り線香の縦型については、いまだに何の手がかりもありません。

教訓的な話

僕は教訓のある話というのが比較的好きである。といっても、これはなにも僕が教訓的な性格の人間であることを意味するわけではない。教訓というものの成り立ち方がわりに好きだというだけの話である。

僕のつれあいの姉は学生時代に堀辰雄《ほりたつお》の『風立ちぬ』を読んで、「健康というのは大切なものだと思いました」という読書感想文を書いて先生に大笑いされたということだが——僕もそれを聞いてたしかに思わず笑ってしまったけれど——これは笑う方が間違っている。もし彼女が『風立ちぬ』を読んで健康の重要性を痛感できたのだとしたら、これは間違いなく文学の力である。笑ってはいけない。そういう立場に立ってもう一度『風立ちぬ』を読みかえしてみれば、必ず「うーん」とうならされるところが何カ所かあるはずである。教訓というものはある場合には類型に堕してしまうことはあるが、またある場合には別の意味での類型を突き崩してしまう力を有することもあるのである。

僕のところにもときどき読者から小説の感想を書いた手紙が来るのだが、「村上さんの小説の感性は――」とか「こういう言葉の使い方は――」とか「これを読んだ気分は――」とかいったものが多く、「私は村上さんの小説を読んでこういう教訓を得ました」というようなのは一通もない。みんながみんなそうである必要はないけれど、一通くらいあってもいいんじゃないかと思う。「私は村上さんの小説を読んで、病弱の母をもっといたわらねばならないと思いました」とか「私は村上さんの小説を読んでお金が全《すべ》てではないと悟りました」とかね。まあ無理かもしれないけれど。

教訓というものは一般に考えられているように決して硬直したものではない。どんなものにも必ず教訓はあるし、それは一律に同じ形をしたものではない。雨ふりにも教訓はあるし、隣の家の駐車場にとまっているカローラ・スプリンターにも教訓はある。べつにあえて探し求める必要もないけれど、あればあったでそれなりになかなか楽しいものである。

昔、学生時代に学校で『徒然草《つれづれぐさ》』を読まされたとき、先生は「現代の目から見れば作者の説教臭・教訓臭がいささか鼻につく」というようなことを言って、そのときは「なるほど、そういうものか」と思ったものだけれど、今になってみればその教訓的な部分だけがしっかりと頭に残っているから奇妙なものである。『徒然草』に限らず他《ほか》の文学作品をとってみても、流麗な文章や緻密《ちみつ》な心理描写というのはそのときは感心しても時が経《た》てばすっかり忘れてしまい、瑣末《さまつ》かもしれないがとにかく有効的という種類のことだけ部分的に覚えているということが多々ある。そういうのが良いことなのかどうかはわからないけれど、少なくとも何も覚えていないよりはましであろうと僕は思う。

昔ある編集者に面白《おもしろ》い話を聞かされた。これはかなり教訓的な話なのだけれど、あまりにも教訓が多すぎるので、僕はいまだに整理しきれずにいる。ケース・スタディーとしてここに再現してみたい。

〈ケース・スタディー〉・某編集者の話

僕はジャズが好きなもので、ある前衛ジャズ・ミュージシャンの演奏をテープにとったものを仕事のついでに××さん（注・高名なジャズ評論家）のところに持っていって、聴かせたんです。××さんはすごくそれを気に入ってくれて「うん、君、これは良いよ。最高だよ」って言ってくれました。そこまではいいんです。ところがふと気がつくと僕はそのテープ（注・オープン・リール）をダブル・スピードでかけていたんです。それで「ちょっとまずいかな」と思ったけど、「すみません、スピードを

間違えました」と言って始めからかけなおしたんです。だって不正確なものをそのままにしておけませんからね。すると先生が怒っちゃいましてね、「君は僕を馬鹿《ばか》にしてるのか！」って、これですよ。あの人も大きなこと言うわりに器量が小さいね。

この話にははじめにも述べたように数多くの教訓が含まれているので、僕なりにみつけた教訓を箇条書きにしてみる。受験を控えている方は正しいと思われるものに○印をつけて下さい。

(1) 前衛ジャズなんて好きなスピードで聴けばいいのだ。
(2) なんだって自分が良いと思えばそ

れで良いのだ。
(3) 正確な評論などというものは存在しない。
(4) 「ちょっとまずいかな」と思っても、もう一度よく考えるべきだ。
(5) べつに不正確だっていいじゃないか。
(6) 失敗は笑ってごまかすのがいちばん。
(7) 器量の大きな人はあまりしゃべらない。
(8) 編集者は直接相手に悪口を言わないものだ。
(9) やたら何かを賞《ほ》めると、あとがつらい。

と書きあげてみると、こんな短い話からも学ぶべきことが多々あることがよくわかる。他にもまだ僕がみつけられずにいる教訓があるかもしれないので、お気づきの方は教えて下さい。『徒然草』ならこの話のあとにどんな教訓がつくのだろうと考えるだけでもかなり暇が潰《つぶ》せそうである。

趣味の音楽

ときどき何かのアンケートで趣味はなんですかと質問されてすごく困ることがある。まともに答えれば読書と音楽だけど、昨今は本も読まないし音楽も聴かないなんていう人はまずいないから、正確にはこれは趣味とも言えないような気がする。面倒臭いので、そういうときにはだいたい謙虚に——でもないか——「無趣味」と答えることにしている。

もっとも小説を書くようになってからは読書は仕事の一環となったわけだから、これはもう現実的に趣味とは呼べない。かろうじて音楽だけが趣味のフィールドに踏みとどまっているという有り様である。だから音楽だけはなんとか趣味のままで残して仕事に持ちこむまいとがんばっているのだが、文筆をなりわいとしながらある特定の分野を避けてとおるというのはなかなかむずかしいことである。

僕の育った家庭には音楽を好んで聴く人が他に一人もいなかったせいで、中学校に入って本格的に音楽を聴きはじめたとき、僕は誰《だれ》の指導やアドバイスも受けることはできなかった。今とはちがって親切なガイドブックなんかもぜんぜんない。だからとにかく小遣いを貯《た》めて盲滅法《めくらめっぽう》にレコードを買い、納得のいくまで聴きこむしかなかった。

その頃買ったレコードを今見てみるとずいぶんとりとめのない集め方をしているなあと我ながらあきれてしまうのだが、当時はそんなことはわからないから、バーゲンで安くなったレコードを買い漁《あさ》っては盤面がすり切れるまで聴きまくっていたものである。若い頃に聴いた演奏というのは一生耳に焼きつくものだし、おまけに数少ないレコードを何度も何度も繰り返しかけていたものだから、その頃に買ったレコードは今では僕にとっては一種の標準《スタンダード》演奏と化してしまっている。

たとえばベートーヴェンのピアノ協奏曲の三番はグレン・グールドでずっと聴いていたから、「三番」といえばグールドの演奏がぱっと頭に浮かんでくるし、「四番」といえばバックハウスの演奏が浮かんでくる。ずっとあとになってバックハウスの演奏する三番とグールドの演奏する四番も買ったのだが、そういうのを聴いていると——演奏はもちろん悪くないのだが——どうも落ちつきが悪く感じられる。耳が「三番はアグレッシヴに、四番は正統的に」という演奏基準を頭の中にどんと据《す》えてしまっているからである。

モーツァルトの弦楽四重奏曲の十五番と十七番にしてもそうで、この場合も十五番はジュリアード弦楽四重奏団で、十七番はウィーン・コンツェルト・ハウス弦楽四重奏団でという驚異的なカップリングである。お聴きになるとわかると思うが、このふたつの演奏団体はおよそ考えられる限りの対極に位置している。ジュリアードは厳しく硬質で、後者はやさしく温かい。そんなわけで僕は「十五番というのは厳しく硬質な曲で、十七番というのはやさしく温かい曲なのだ。モーツァルトという人はさすがに多面性を有した人だったのだなあ」と長いあいだ思いこんでいたくらいである。二十歳をすぎてべつのレコードで十五番を聴いて、天地がひっくりかえるような思いをし

た覚えがあるが、今でも十五番を聴きたいなと思ったときにはついジュリアードのレコード（もちろん買いなおした新しいもの）に手がのびてしまう。不思議なものである。

こういう例はいちいちあげていくときりがない。ひとえにバーゲン・レコードを無系統に買い漁った結果であるわけだが、今になってみるとその無系統なでこぼこさが音楽を聴く面白さをかえって際立《きわだ》たせてくれているような気がする。変な風に好みが片寄らなかったのは、アドバイスをしてくれる人がいなかったからと言えなくもない。

僕はだいたいがこんな風にまわり道をしながら好きなやり方でゴリゴリと押していく性格で、何かに辿《たど》りつくまでに時間がかかるし、失敗も数多くする。しかし一度それが身についてしまうと、ちょっとやそっとでは揺るがない。これはべつに自慢して言っているわけではない。こういう性格は往々にして他人を傷つけるし、自分でそのスタイルを矯正《きょうせい》しようとしてもなかなか上手《うま》くいかないものである。他人に何かを勧められてもだいたい聞き流すし、他人に何かを真剣に勧めるということもあまりない。しかしこんな風に生きてきたんだから今更仕方ないよなと思う。

それはまあさておき、一般の人間の音楽に対する感受性というのは二十歳を境としてどんどん弱まっていく気がする。もちろん理解力や解析能力は訓練次第で高められるものだが、十代の頃に感じた骨までしみとおるような感動というのは二度と戻《もど》ってこない。流行《はや》り歌も耳にうるさくなり、昔の歌はよかったなあと思うようになる。僕のまわりの昔のロック・マニア青年たちもだんだん「今のロックなんてあんなちゃちなもの聴く気しないよ」と言うようになってきた。その気持ちはわかるけれど、しかしそんな繰り言ばかり言ってても仕方ないので、僕はわりに素直にかつこまめに全米ヒット・チャートなんかに耳を傾け、耳の老化を防ぐようにしている。カルチュア・クラブとかデュラン・デュランはあまり好きじゃないけど、ワム！ のあのノー天気さは比較的気に入っている今日この頃であります。

自動車について

僕《ぼく》は車の運転というものをしないし、また車という物体にもさして興味が持てない。僕のまわりを見まわしてみても、どういうわけか車を運転する人の数はひどく少ない。だいたい知りあいの三割くらいしか運転免許を持っていないみたいである。現在の日本の総人口の六割近くが運転免許を有していることを考えると、これは理不尽なくらい少ない数字である。

どうしてこんなに僕のまわりの人々が車に乗らないかというと、理由は実に簡単で、必要ないからである。車に乗ると余計な神経を使うし、余計な金がかかるし、酒は飲めないし、洗車やら車検やらといった手間がかかるし……なんていうことを考えると、これはどうみたって地下鉄やタクシーを利用した方が楽である。そりゃ北海道の湿原のまん中に住んでいるなんていう人は車がないことには生活していけないだろうけれど、東京近郊で暮らしていくぶんには車なんてとくに必要ないんじゃないかと僕は思う。

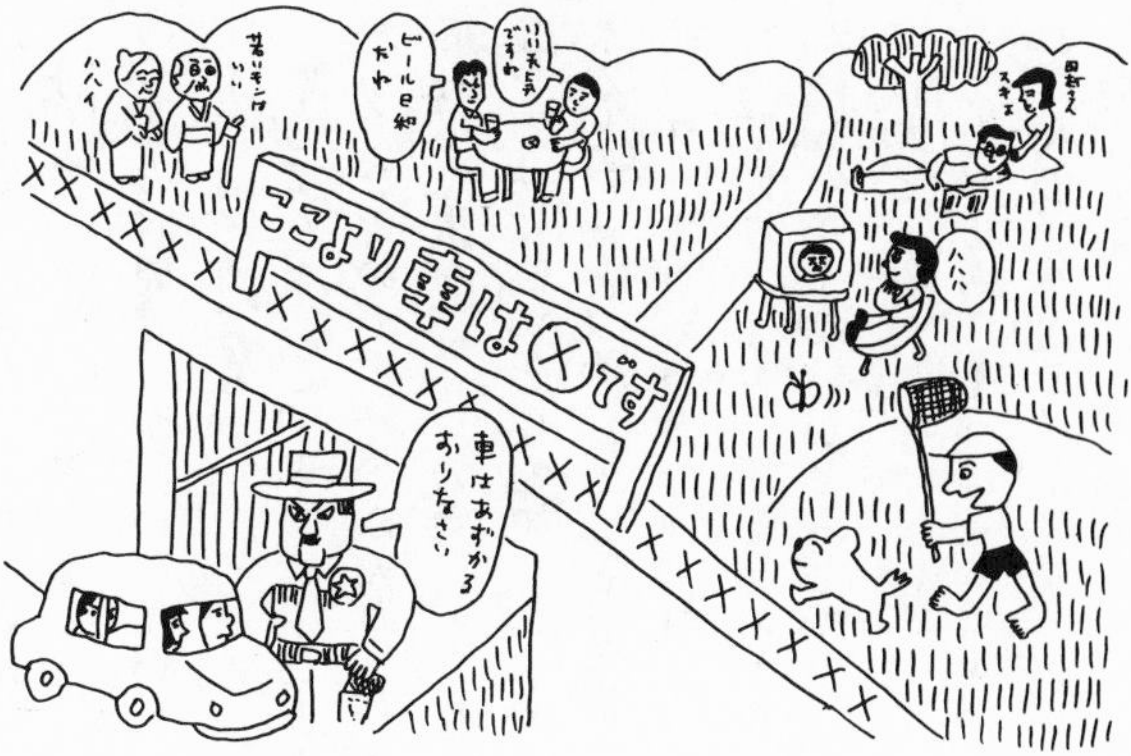

僕自身の例でいうと、車を持っていないことを不便に感じるのは年に一回か二回くらいのものであって、その一回か二回をなんとかしのげば——もちろんしのげる——あとは電車と徒歩とタクシーで全部事足りてしまう。それはまあ人それぞれ事情はあるとは思うけれど、あんなにみんな争って車に乗りたがることもないんじゃないか？　ほんの三十年くらい前まではおおかたの人は車なしで十分平和に生きていたんだから。

という話を車を持っている人にすると、たいてい「いや、それがいちばんなんですよ。車に乗る必要がなければ車になんか乗らないにこしたことはないんです」という答えが返ってくる。しかしそういう人に限って電車に乗れば一駅か二駅で済むところにわざわざ車を運転して行ったりする。自分が運転しないからと言ってしまえばそれまでだけど、車を運転する人の気持ちというのは僕にはよくわからない。小まめに駐車スペースを探したり、ほんの少しの時間差しかないのにいちいち車線を変えて走ったり、なんてことも僕にはとてもできそうにない。

車を持たないと、車のローンとか駐車場料金とか税金とかガス代とか修理費とかがかからないので、そのぶんタクシーとか国鉄のグリーン車とかによく乗る。これもとても不思議なことなのだけど、車を運転する人の大部分はタクシーやグリーン車の料金を不法に高いと感じているみたいである。それで僕がよくタクシーやグリーン車に乗ると言うと、「お前、それ贅沢《ぜいたく》だよ」と言われる。でも考えてみれば、東京・藤沢間のグリーン車料金なんて駐車場の二時間ぶんの料金と同じ程度のものである。それで一時間ゆっくりと腰を下ろしてのんびり本を読めるとしたら、考えようによっては安いものじゃないかとふと思ってみたりする。べつに国鉄の肩を持つわけではないですけれど。

しかしまあ、そうは言うものの、僕だってもう少し若ければやはり高級車を手に入れて女の子をドライブに誘って——なんてことをやっているのかもしれないので、あまり大きなことは言えない。こういうのはめぐりあわせのようなものであって、ちょっと道がずれていればまったく逆のことを主張しているなんてこともありえないことではないのだ。世の中にはびこる主張のおおかたは結果オーライの精神の上に成立したものである。だから僕はここで車排斥論を展開しているわけではなく、車がなくてもとくに不自由ないというケースが少なからず存在しているのではないかという推測を穏当に述べているだけのことである。怒りの反論なんてのを送ってこないで下さい。

僕が今住んでいる藤沢の町も夏が近づくにつれて車の量がどんどん増えてくる。週末になると藤沢橋から江の島までの道筋は車でいっぱいになるし、細い道路にもどんどん車が入りこんでくる。夜中はバイカーの立てる騒音がうるさい。僕がここに引っ越してきてからも朝ジョギングをしていたおばあさんが一人車に轢《ひ》かれて死んだし、バイクの騒音で眠れなくて抗議自殺した人もいた。気の毒である。

僕が車に対して神経質すぎるせいかもしれないけれど、車が増えてから、日本中どこにいっても落ちついた気分になるということがめっきり少なくなってしまった。ときどき気が向くと江ノ電に乗って鎌倉に昼ごはんを食べに行くのだが、とにかくもう町じゅう車だらけで頭が痛くなって早々に引きあげてくるし、京都だって昔はあんなにがさがさとしたうるさい町ではなかった。

世の中にひとつくらい車の一台も走っていない町があってもいいのではないかと僕

は思う。ワイアット・アープがダッジ・シティーで人々から拳銃《けんじゅう》をとりあげたみたいに、係員が町の入り口で車を預かるのである。どこかにそういう町があったら、僕は是非住んでみたい。よく「歩行者天国」なんていうものがあるけれど、あの程度のものを天国なんて呼ばれちゃたまらないと僕は思う。車に乗らない人間の目から見れば、あれが通常の状態なのである。

事情があってこのあと免許を取りました。基本的には同じ考え方ですが。国鉄はのちにＪＲになりました。「Ｅ電」はどうなったんだろう？

猫《ねこ》の死について

先日、飼っていた猫が死んでしまった。この猫は村上龍《むらかみりゅう》氏のところから来たアビシニアンで、名前は「きりん」といった。龍のところから来たので「麒麟《きりん》」という名をつけたわけである。ビールとは関係ない。

年齢は四歳で、人間でいえばまだ二十代後半か三十歳くらいだから、早死にである。この猫は膀胱《ぼうこう》に結石がたまりやすい体質で、以前にも手術をしたことがあり、食事にはいつもダイエット・キャットフード（というものがこの広い世界には存在するのだ）を与えていたのだが、結局膀胱をこじらせたのが命とりになった。業者に火葬してもらい、そのお骨を小さな壺《つぼ》に入れて、神棚《かみだな》に置いてある。僕が今住んでいる家は古い日本家屋で神棚がついているから、こういうときはとても便利である。新しい2DKのマンションなんかだと猫のお骨を置く場所を見つけるのが大変そうである。ちょっと冷蔵庫の上に置いておくというわけにもいかないしね。

僕のところにはこの「きりん」の他にもう一匹十一歳になる雌のシャム猫がいて、

名を「みゅーず」という。この名前は名作少女漫画『ガラスの城』の登場人物からとった。その前には「ブッチ」と「サンダンス」という『明日に向って撃て!』のコンビから名をとった二匹の雄猫がいた。いっぱい猫を飼うといちいち名前を考えるのが面倒なので、だいたいはきわめてイージーなネーミングをする。一時は「しまねこ」という名のしま猫を飼っていたし、「みけ」という名の三毛猫がいたこともある。スコティッシュ・フォルドという種類の猫を飼ったときは「スコッティー」という名前にした。こうなると当然派生的に推測できることだが、「くろ」という名前の黒猫が寄宿していたこともある。

この十五年間に我が家に去来した猫たちが辿ったそれぞれの運命を表にしてみると、

A（死んだ猫）
①きりん②ブッチ③サンダンス④しまねこ⑤スコッティー

B（人にあげた猫）
①みけ②ピーター

C（自然にいなくなった猫）
①くろ②とびまる

D（現在残っている猫）

さみしい雨の
ふる日
ごしゅうしょうさまでした
埋葬業者の人
トボトボ
トボトボ
きりんの葬儀風景

①みゅーず

ということになる。考えてみれば家の中に一匹も猫がいなかった時期はこの十五年間にほんの二カ月ほどしかないのである。

これはまああたりまえのことだけれど、猫にもいろんな性格があって、一匹一匹それぞれ考え方も違うし、行動様式も違う。今飼っているシャム猫は僕に手を握ってもらっていないとお産ができないという実に変わった性格の猫である。この猫は陣痛が始まるとすぐに僕の膝《ひざ》にとんできて「よっこらしょ」という感じで座《ざ》椅子《いす》にもたれるような姿勢で座りこむ。僕がその両手をしっかりと握ってやると、やがて一匹また一匹と子猫が生まれ出てくるのである。猫のお産というのは見ているとなかなか楽しいものです。

「きりん」はどういうわけかセロファン紙を丸めるときのくしゃくしゃという音が大好きで、誰かが煙草《たばこ》の空箱を潰したりするとどこからともなく脱兎《だっと》のごとくとんできて、ごみ箱からその箱をひっぱりだして、十五分くらいは一人で遊んでいた。いったいどのような経緯を経てこのような傾向なり癖なり嗜好《しこう》なりが一匹の猫の中で形成されていくのかはまったくの謎《なぞ》である。

この猫は元気がよくて固太りした食欲旺盛《おうせい》な雄猫で——このへんの描写は村上龍氏のパーソナリティーとは無関係——性格も開放的で、うちに来るお客にはなかなか受けが良かった。膀胱の具合が悪くなるといくぶん元気がなくなりはしたが、前日まではとてもそのまま死んだりするようには見えなかった。近所の獣医さんのところにつれていってたまった尿を抜いてもらい、結石を溶かす薬を飲ませたのだが、一夜明けると台所の床にうずくまって目をぱっちりと開けたまま冷たくなっていた。猫というのはいつも実にあっさりと死んでしまうものである。あまりにも死に顔がきれいだったので、日なたにそのまま置いておけば解凍されて生き返るんじゃないかという気がしたほどだった。

午後にペット専門の埋葬業者の人がライトバンで猫をひきとりにきた。映画『お葬式』に出てくるようなきちんとしたなりの人で、いちおう悔やみを言うわけだが、これは人間相手の悔やみの科白《せりふ》を適当に簡略化したものと考えていただければ良い。それから料金の話になる。火葬↓骨壺のコースは壺代が入るので二万三千円である。ライトバンの後部荷台にはプラスチックの衣裳《いしょう》ケースに入れられたドイツ・シェパードの姿も見える。たぶん「きりん」はそのシェパードと一緒に焼かれることになるのだろう。

「きりん」がそのライトバンで運び去られてしまうと、家の中が急にがらんとしたような気がして、僕もつれあいもあとに残された猫もどうも落ちつかなくなってしまった。家族というのは――たとえそれが猫であっても――それぞれにバランスをとりながら生きているものであって、その一角が欠けるとしばらくは微妙に調子が狂ってしまうものである。家にいても仕事にとりかかれそうもないので、横浜にでも遊びに行こうかとしょぼしょぼと降る雨の中を駅まで歩いたのだが、それもなんとなく億劫《おっくう》になって途中で帰ってきてしまった。

今は「みゅーず」と「コロッケ」という猫を飼っています。「マイケル」とか「小鉄」とかっていう名前の猫は全国にけっこう沢山いるんだろうな。

ヤクルト・スワローズについて

僕はプロ野球ではどういうわけかヤクルト・スワローズをひいきにしている。ひいきにしているといっても応援団に入ったり、選手に小遣いをあげたりといった何か具体的なことをしているわけではなくて、ボソッと一人で「ヤクルト勝つといいな」と心に思っているだけである。

映画『ディア・ハンター』にロシアン・ルーレットというゲームが出てくる。レヴォルヴァー拳銃に弾丸を一発だけ入れて輪胴をぐるぐると回し、自分の頭に銃口をあてて引き金を引くゲームだけれど、ヤクルト・スワローズを応援することは六個の弾倉に四発の弾を入れてロシアン・ルーレットをやっているようなものである。勝つ確率はだいたい三分の一くらいだからである。こんなチームを応援していて健康に良いわけがない。

僕がヤクルト・スワローズを応援しはじめたのは十八年前に東京に出てきたときで、その頃《ころ》はまだサンケイ・アトムズという名前だったが、名前こそ違えやはり弱かった。

僕は昔から野球というのは原則的にホーム・チームを応援するものだと考えていたので、東京に来たからには東京のチームを応援しようと思い、在京四チーム（巨人、アトムズ、東映フライヤーズ、東京オリオンズ）をいろいろと比較してみたのだが、結局消去法でヤクルトが残った。東京スタジアムはしょっちゅう通うには地の利が悪いし、巨人戦はあまりにも混《こ》みすぎるし、だいたいにおいて後楽園という球場が僕はあまり好きではない。

その点神宮というのはなかなか気持ちの良い球場である。まわりに緑が多く、その頃は外野席がのっぺりとした土手になっており、そこにごろんと寝転んでビールを飲みながら試合を見ているとかなり幸せな気持ちになれた。もっとも風が吹くと砂ぼこりがひどく、おにぎりなんかを持っていると砂でじゃりじゃりになってしまって、これが難点といえば難点だった。デー・ゲームのときには上半身裸になってよく日光浴をしたものである。巨人戦をのぞけばいつもがらがらにすいているというのも嬉《うれ》しかった。要するに早い話がヤクルトが気に入って神宮に通っていたというよりは、神宮球場が好きでその結果としてヤクルトを応援していたようなものだ。

がらがらにすいている球場の外野席は女の子とデートするのに適した場所である。ビールを飲んだりお弁当を食べたりしながら戸外の空気を吸えるし、入場料だって映画館より安い。それに気が向けば野球の試合を見ることだってできる。

今でも覚えているのは十四、五年前の対巨人戦ダブル・ヘッダーで、僕はやはり女の子と一緒にライト・スタンドの右翼手のまうしろのあたりで試合を眺《なが》めていた。今なら例の岡田《おかだ》応援軍団でにぎわっているあたりだが、当時の応援団は太鼓がひとつと笛が一本といった程度の実にひっそりとしたものだった。その試合でヤクルトが勝ったのか負けたのかは今となっては思いだせないが、ジャイアンツの打者が打った一本のライト・フライだけをきわめて象徴的な情景として僕は鮮やかに記憶している。

そのフライは実に絵に描《か》いたようなイージーな外野フライだった。バッターがバットをグラウンドに投げ捨てて、頭を振りながら一塁ベースに走っていくようなフライである。ヤクルトの右翼手（気の毒なのでとくに名を秘す）は「オーライ」という感じで五メートルほどゆっくり前進し、ボールが落ちてくるのを待った。平凡な光景である。しかしボールは——信じ難《がた》いことだが——右翼手のグラブの五メートルくらいうしろにポトリと落ちた。風もなく、それほど太陽が眩《まぶ》しくもない気持ちの良い昼下がりの出来事である。観客はさすがにみんな唖然《あぜん》として、しばらくは口もきけなかった。

「ねえ、あなたが応援してるのはこのチームなの？」と女の子がきまり悪そうにもじもじとしている右翼手を指さしながら僕に訊《たず》ねた。

「まあね」と僕は答えた。

「別のチームにした方がいいんじゃない？」と彼女は言った。

しかし彼女の当を得た忠告にもかかわらず、僕は今でもヤクルト・スワローズのファンであるし、年を追うごとに少しずつ情が移っているような気さえするほどである。どうしてこんなことになってしまったのかはよくわからないし、それが正しいことであったのかどうかということについても今ひとつ確信が持てない。たとえは悪いけれど「ゆきずりの情事のつもりがあとをひいて」という感じである。

そのあいだに僕は実に数多くの唖然とする光景を目にしてきた。松岡投手が巨人相手にたしか九回二死までパーフェクト・ピッチングをし、完全試合にあと一人というところで打たれて負けたこともあった。僕はべつに負けることが好きでヤクルトを応援しているわけではないから、こういうことがあるとやはりそれなりにがっかりとしてしまう。

しかしヤクルトを応援することによって得ることのできた資質もないわけではない。それは負けることに対する寛容さである。負けるのは嫌《いや》だけれど、そんなことをいちいち深く気にしていたらとても生き延びていけないという諦観《ていかん》である。僕の目から見ると巨人ファンはそれに比べて負けっぷりがひどく悪いように見える。ヤクルト・巨人戦でヤクルトが勝つと「ブタに蹴《け》られた」といって僕のところに電話をかけてくる巨人ファンの友だちがいるが、こういうのは本当に困ったものである。

松岡投手の引退試合観戦中、僕にビールをごちそうしてくれた二人づれのサラリーマン風の方、どーもありがとうございました。松岡投手も若菜を敬遠せずにキチッと勝負して気持ち良かったです。キチッとスリーラン打たれたけど。

健康について

「一に健康、二に才能」というのが僕《ぼく》の座右の銘である。そのうちに安西水丸画伯に掛け軸にそう書いてもらって床の間に掛けておこうと考えているくらいである。字の下に鉄アレイの絵なんかが入っていると良いなあと思う。

なぜ「一に健康」で「二に才能」かというと、単純に考えて健康が才能を呼びこむことはあっても、才能が健康を呼びこむ可能性はまずないからである。もちろん健康でさえあればどんどん才能がついてくるということではない。しかし長期にわたって努力や集中力を維持するにはどうしても体力が必要だし、努力や集中力を維持することによって才能を増殖させていくことは不可能事ではない。だから「一に健康、二に才能」なのである。

もっとも、こういう考え方は天才にはあてはまらない。天才というのはどんなに不健康でも努力しなくとも、素晴らしい作品を創出していくものである。意識的な自己訓練などというものは天才には無縁の作業であるに違いない。しかし現実問題として僕は天才ではないので、それなりの企業努力を必要とする。従って健康が大事である。たいした才能もないくせに病的というのが、作家にとっていちばん悪いパターンであるように思う。

しかしこういう座右の銘を掛け軸にするまでもなく、僕はだいたいが健康な人間で、一度も病院に入院したこともないし、この二十年間医者にかかったこともない。薬も飲まないし、体に何か気になる症状が出るということもない。肩こり、頭痛、二日酔いの経験は一度もない。不眠というのは二十代前半の頃は何度か経験したような気がするが、今ではまったくなくなってしまった。

だから頭痛や二日酔いや肩こりが実際にどれくらい苦しいものかというのは、僕にはまったく見当もつかない。見当もつかないから同情心もあまり湧《わ》いてこない。ときどきつれあいが「今日頭が痛いのよ」などと言っているが、そう言われても「へえ、痛そう」としか答えようがない。そんなのは半魚人に「今日は鰓《えら》とうろこがすれて痛い」と言われているのと同じことで、悪いとは思うけれど自分が経験したことのない肉体的痛み・苦しみというのは正確には想像することができないのだ。だからよく人に「お前は同情心が薄い」と批難されるけれど、それは筋違いで、正確に表現すれば「同情心が薄い」のではなく「想像力が不足している」のである。その証拠に歯痛や

船酔いで苦しんでいる人や、向こう脛《ずね》を椅《い》子《す》にぶっつけたりした人に対しては僕はいつも真剣に同情している。

二日酔いというのもよくわからない苦しみのひとつである。僕はたいした量ではないにせよ毎日習慣的に酒を飲む人間だし、ときには人並みに酔っ払ったりもするのだが、不思議に二日酔いというのを一度も経験したことがない。どんなに酔っ払っていても、朝の光が射《さ》すとハツラツと目が覚めてしまうのである。

よくわからないから知りあいにときどき「二日酔いってどんな風になるの?」と訊《き》いてみるのだが、誰《だれ》一人として的確な描写・説明をしてくれる人はいない。「とにかく頭が重くて、苦しくて、とにかく何をする気も起きないいんだよ」というくらいの答えしか返ってこない。そう言われても「頭が重い」というのがどういう状態なのかわからないのだからお手上げである。それ以上くわしい説明を求めても「うるさいなあ、二日酔いをやったことのない人間には二日酔いの苦しみはわかんないよ」と言われるのがおちである。二日酔いの話になると、人はみんなきまって投げやりなものの言い方になるみたいである。

先日某所でビールを何本か飲んだあとで、違う場所に移ってワインを集中的に飲み、かなり酔っ払って家に帰り、そのまま寝てしまった。翌朝七時頃に目を覚ますと、薄がすみのかかったように頭がぼんやりとする。それでふと「これが二日酔いの軽いものなのかな」と思ったのだが、食事をしてから十二キロほどランニングをして帰ってくるとそのもやもやはもうすっかり消えてしまっていた。という話をある知りあいにすると「あのね、そういうのは二日酔いとは言わないんです。二日酔いのときは食欲なんて全然ないし、だいたい走ろうなどという気には絶対にならないものなんです」と言われた。そんなわけで、二日酔いというのは僕にとっては永遠の謎《なぞ》である。

便秘、痔《じ》、花粉アレルギー、神経痛、生理痛（これはまあ当然だ）、目まい、食欲不振、といった類《たぐい》のことも僕にはよく理解できない。吐き気、下痢、歯痛、疲労、風邪ひき、高所恐怖は理解できる。

しかしよくわかるわからないは別にして、不健康な人どうしが不健康について語りあっているのをはたで聞いているのは、当事者には悪いとは思うけれど、なかなか面《おも》白《しろ》いものである。少なくとも健康な人どうしが健康について語りあっているのを聞いているよりはずっと面白い。あれはきっと話している人どうしのシンパシーの質が高いせいだろうと思う。中でも聞いていてとくに面白いのは痔とか便秘の話で、本人はすごく大変らしいけれど直接命にかかわる病ではないから、話がディテイルに及べば及ぶほど悲痛なおかしさがこみあげてくる。悲痛だけれどおかしい、おかしいけれど悲痛——というのは健康体には求めがたい感興である。

小説家の有名度について

　ときどきバーのカウンターなんかで一人で飲んでいるととなりの人が誰かの噂話《うわさばなし》をしていることがあって、こういうのを聞くともなく聞いているのも楽しい。その噂の対象は僕が知っている有名人の噂であることもあるし、上役や同僚や友人であることもあるが、どちらもそれなりに面白い。いちばん面白くないのは誰かを賞《ほ》める噂話で、「あの、××さ、あいつ凄《すご》いと俺は思うよ、才能あるよ」なんて話になるとこちらも退屈して「早く悪口にならないかな」と期待したりする。「アホだよあいつ、ほんとにアホ、どうしようもないアホ」という調子になってくると、どうせ他人のことだからこちらとしても愉快きわまりない。何年か前、横浜の『ストーク』というジャズ・クラブのカウンターで飲んでいるととなりの若いサラリーマン風の二人づれがずっと真行寺君枝の話をしていたので、また例によって聞き耳を立てていたら、突然「あのさ、村上ハルキって作家いるじゃない、あれさあ――」という話になったのであとは聞かずにあわてて出てきた。どうして真行寺君枝の話から脈絡もなく僕の話に移行するのかよく理解できない。ああいうのは大変に困る。「えーと、真行寺君枝の話はこれくらいにしてさ、別のジャンルの話しようよ」「何がいいかなあ」「小説の話しようよ」「若い小説家のもの何か読んだ?」「そういえば——」というくらいのクッションがあればこちらとしても一応警戒態勢を固めるから良いのだけれど、喉《のど》の下からすぐ胃が始まるような話題の変え方をされるから、思わずオン・ザ・ロックのグラスの縁に鼻をぶっつけちゃったりすることになるのである。

街を歩いていて知らない人に声をかけられることもごくたまにある。僕はＴＶに出ないからごくたまにといった程度ですんでいるが、しょっちゅうＴＶに出ている人は結構大変なんだろうなと推察する。雑誌の写真くらいだと、実物に会っても意外にわからないものだけど、ＴＶというのはかなり生々しく映るから大変みたいである。そんなわけで僕はＴＶには出ない。ときどきＴＶの出演依頼があると「ぬいぐるみを着て出演していいなら出ます」と冗談で言ってみるのだが、「それでもいいですから出て下さい」と言われた例は一度もない。まあ当然のことだとは思うけど。

このページの絵を描いて頂いている安西水丸氏も一度ＴＶに出て、そのあといろいろと大変だったそうである。翌日じゃんじゃんと電話がかかってきて、いろんな人に「ＴＶに出てましたね」と言われたということである。ＴＶというのはとても怖い。

なんといっても文芸誌がいちばんである。文芸誌に小説書いたって電話の一本もかかってこないものね。

一度神宮球場の外野席で一人でビールを飲みながらヤクルト・中日戦を観《み》ていたら、女の子がやってきて「村上さん、サインして下さい」と言われたことがある。僕は神宮球場の外野右翼席に来る女の子にはだいたい好感を持っているので「いいですよ」と言うと、相手の女の子は「あのー、がんばれヤクルト・スワローズって書いてくれますか?」と言った。こういう人って、僕はわりに好きである。

総武線の電車の中でむかいの席に座っていた女の子に声をかけられたことも一度ある。ただ僕はこういうときすごく緊張してコチコチになってしまうタイプなので、声がうまく出なくて、相手の人には申しわけないことをしたと思う。それに電車の中で声をかけられるのは、まわりの人もじろじろと見るのでとても恥ずかしい。ヤクルト・中日戦くらいガラガラにすいているとこちらも気楽なのだが。

赤坂のベルビーというファッション・ビルの待合所のベンチでふてくされているときに(つれあいの買い物があまりにも長かったのだ)声をかけられたこともある。このときの相手は若い男の人で、「村上さん、がんばって下さい」と言われたので、思わず「はっ、がんばります!」と答えてしまった。こうなると「プロ野球ニュース」

のインタビューみたいである。
ついでだからつれづれなるままに思い起こしてみると、六本木で若いカップルに声をかけられたこともある。お茶の水の明治大学の前と新宿・伊勢丹の二階と藤沢《ふじさわ》の西武デパートと小樽《おたる》の街角で一度ずつ声をかけられた。小樽の人の話によると、北海道では僕の本はわりによく売れているのだそうである。とはいっても小樽の駅前の商店街でよく僕なんかの顔が見分けられるものだとつくづく感心してしまう。
というわけで、ひとつふたつと勘定してみると、小説を書きはじめて六年のあいだに道で知らない人に声をかけられたのは全部で八回ということになる。だいたい年に一回強の割合であるが、この〈声かけられ頻度《ひんど》〉が僕のような職業に就いている人間にとって多い数字なのか少ない数字なのかは自分でもよくわからない。

昔某歌手の住んでいるマンションのそばに居たことがあって、この人が車から玄関までの十メートルばかりを全力疾走する光景をよく目撃したものである。おそらくファンにつかまらないためだと思うのだけれど、夜中の一時すぎの、あたりにまったく人影のないときでさえそうなのだ。有名人というのはかなり奇妙な人生を強《し》いられているようである。

セーラー服を着た鉛筆

少し前に用事があって、ある雑誌の編集者に会い、そのあとで酒を飲みながら二人で世間話をしていたら、話題がなんとなく文房具のことになってしまった。文房具の話は僕も大好きなので、ボールペンはあれが良い、消しゴムはこれに限るというようなことを埒《らち》もなく酒場で話しつづけていたのだが、そのうちに相手が「ところで村上さんはいつもどれくらいの硬さの鉛筆を使っているんですか?」と訊ねた。僕はいつもFの鉛筆を使っているので「えーと、Fだけど」と答えると、その人は「そうですか。でもFの鉛筆って、僕いつも思うんですけれど、セーラー服を着た女学生って感じがしませんか?」と言った。

そのときは酒の席のことだったので「そういえばそうかもしれないですね。世の中にはいろんな感受性があるんだなあ」という程度で笑いのうちに終わってしまい、話はすぐに別の話題に移ったのだが、時間が経《た》つにつれてそのことだけがだんだん気になりだしてきた。何故《なぜ》Fの鉛筆がセーラー服を着た女学生なのかと一度考えはじめると、考えれば考えるほどわけがわからなくなり、頭が混乱してくる。そしてわけがわからないなりに、Ｆの鉛筆がしっかりとセーラー服を着た女学生に見えてくるのである。こういうのは大変に困る。最近ではＦの鉛筆を手にとるたびにセーラー服姿の女学生を想起してしまう有り様である。物体が一度あるイメージを産出すると、今度はそのイメージが逆にその物体を規定するという現象なのだろうが、いずれにせよ僕にとっては迷惑きわまりない現象である。

このような現象がそのまま進行していくと、いずれ鉛筆を手にとるたびに性欲が刺激されるというところまでいってしまうかもしれないし、そうなると、仕事柄《しごとがら》鉛筆を手にとることは多いから、僕としては大変面倒なことになってしまうはずだ。

いっそのことＦをやめてＨＢに変えてみようかとも思ったのだが、まずいことにその時点で「もしＦがセーラー服を着た女学生なら、ＨＢは学生服を着た男子高校生ではないだろうか」と僕は考えてしまった。そうなると、これはこれでまた不気味である。僕はもともとセーラー服とか学生服とかいうのがあまり好きではないのだ。セーラー服なんて遠くから見ているぶんには良いけれど、近づいてみるとけっこう汚れているし、あまり見映えの良いものではない。学生服の汚さについてはあえて述べるまでもないだろう。

それではHはどうかというと、これはなんとなく「ポリス」（というロックバンドです）のスティングに感じが似ている。スティングについては僕はべつに悪感情は持っていないけれど、感情の良し悪《あ》しにかかわらず、鉛筆がスティングに似ているというのはなんだかすごく気になるものである。耳もとでいつも「ポリス」の音楽が鳴り響いているような気がするのだ。

2Hより硬い鉛筆やBより柔らかい鉛筆は仕事には使いづらいので、僕には結局「セーラー服を着た女学生」と「学生服を着た男子高校生」と「ポリスのスティング」という三つの可能性というか選《せん》択《たく》肢しか残されていないわけである。どうしてたかが鉛筆のことでこんなややこしい状況にはまりこむことになったのか、僕にはよくわからないけれど、もとはといえば「Fの鉛筆というのはセーラー服を着た女学生に似ていると思いませんか？」と余計なことを言いだした編集者がいけないのである。そこからイメージがどんどん間違った方向に膨らんでいったのだ。おかげで僕は今この原稿の「なおし」の部分を鉛筆ではなくボールペンを使って書かざるを得ないところまで追いつめられてしまっているのである。ボールペンについては極力何も考えないように努力している。ボールペンはただのボールペンである。

ところで鉛筆というのはなかなか可愛《かわい》い筆記具である。最近ではシャープ・ペンシルの性能が飛躍的に向上したせいで、その文具界に占める地位がいくぶん低下したことは否《いな》めないが、にもかかわらず鉛筆には人の——少なくとも僕の——心をそそるものがある。単純といえば実に単純な製品なのだが、鉛筆をじっと眺めていると、そこには数々の謎と叡知《えいち》が含まれていることが見てとれる。最初に鉛筆を作った人はずいぶん色々と苦労したにちがいないと思う。僕はちくわのチーズづめを発明した人に対して常々畏怖《いふ》の念を抱いているのだが、ちくわのチーズづめよりは鉛筆作りの方が発想としても技術としてもずっと複雑そうである。

僕は原稿の細かい「なおし」にはだいたい鉛筆を使っている。シャープ・ペンシルも便利なのでよく使うけれど、手ざわりと書き味からいえばごく普通の鉛筆の方が仕事には向いている。朝に一ダースほどの鉛筆を削って、オン・ザ・ロック用のグラスに立てておき、それを順番に使っていくわけである。だから——話はまたもとに戻《もど》るけれど——鉛筆がセーラー服を着た女学生の姿に見えたりすると非常に困ってしまうのだ。

「次は、えーと、君を使っちゃおうかな」

「きゃー、やだあ、ウッソオ！」

なんて一人でやっているとちっとも仕事が進まないし、馬鹿《ばか》みたいである。

新潮社の鈴木力のおかげでひどい目にあったわけだけれど、本人は酔払っていて自分の言ったことをまったく覚えていない。「え、そんなこと言いました？　どうしてFの鉛筆が女学生なのかなあ？」なんてね。そんなこと私に訊かれても困る。

「ホノルル映画館」①

スーツケースに冷や麦を十五袋も詰めこんでハワイにやってきた。これはどんなガイド・ブックにも載っていないことだけれど——たぶん載っていないと思う——ハワイで食べる冷や麦は実に美味《おい》しいものである。ハワイに長期滞在される方は是非冷や麦を持参されるべきである。

というわけで今は一カ月ばかりホノルルでのんびりと休養しております。今更ハワイでもないだろうと言われればそれまでだけど、一日ビーチにごろんと横になって好きなだけ泳ぎ、夜は酒を飲むか映画を観るかして、それ以外は何も求めないということであればハワイくらい気楽なところは他《ほか》にない。そこに冷や麦が加われば、これはもうパーフェクトと言ってもいいだろう。

当地で今いちばん評判の良い映画といえばロン・ハワードの監督した『コクーン』で、劇場は平日でもかなり混《こ》んでいる。〈コクーン〉というのは繭《まゆ》のことだが、どうしてそういうタイトルがついているのか説明してしまうとつまらないので説明は控え

る。フロリダの高級養老院でのんびりと（しかしわりに淋《さび》しく）余生を送っている老人たちとそこにやってきた宇宙人との触れあいを描いた心温まる作品——というのが大体の内容だが、なんだ、それじゃ『E・T』にそっくりじゃないかと思われる方もおられるに違いない。そのとおり、実にそっくりなのです。僕《ぼく》のまわりにいたアメリカ人の観客はみんなしくしく泣いていたけれど、そういうところまで『E・T』によく似ている。同じロン・ハワードのヒット作『スプラッシュ』と『E・T』をミックスしたような映画と表現すればより近いかもしれない。
　もっとも『E・T』が子供たちを主人公にしているのに対して『コクーン』の

主人公はよぼよぼの老人たちで、そのぶんだけこの映画の視点の方が『E・T』より一段階屈折しているということになるかもしれない。老人たちを演じるベテラン俳優たちの演技も見もので、とくにドン・アメッシュがブレークダンスをするシーンなんか大受けに受けていた。ロン・ハワードといえば、『アメリカン・グラフィティー』の中でどことなく頼りない優等生の男の子を演じていた人だが、監督としての力量はかなりのものである。『スプラッシュ』は日本では今ひとつ当たらなかったけれど、この『コクーン』はなかなか雰囲気《ふんいき》の良い映画なので日本でもヒットしてほしいと思う。しかし殆《ほとん》ど老人と宇宙人しか出てこない映画なんて、日本の映画会社は企画の段階でまず製作許可を出さないだろうな。

この『コクーン』が明るくポジティヴな宇宙人映画であるとすれば、トビー・フーパーの新作『ライフフォース』は暗くネガティヴな宇宙人映画である。原作はコリン・ウィルソンということだが、本の方は読んでいないので比べようがない。簡単に言えば『エイリアン』と『ゾンビ』と『ゴースト・バスターズ』を一緒にして、トビー・フーパーおなじみのグロテスク指向で味つけしたような作品だから、その手のものが嫌《きら》いな方は御覧にならない方が賢明であろう。僕はそういう類の映画がかなり好きな方なので結構楽しむことはできたが、いくぶん冗長な感じがあって、まん中あたりで退屈する。フーパーの持ち味はロー・バジェット映画のけばけばしい悪趣味さにあるから、これくらいの大作だとつきあうのがちょっとしんどいような気がする。しかしそれでもしつこく悪趣味に走っているところはさすがに偉いと思う。観客はまばら。

ジョン・ブアマンの『エメラルド・フォレスト』は初日ということもあって、結構客が入っていた。〈実話に基づいている〉というふれこみだが、話があまりにもよくできていて、どこまで〈基づいている〉のかはよくわからない。経験的に言って〈実話に基づいている〉ハリウッド映画くらいうさんくさいものはないからである。アマゾンの原住民に息子をさらわれた父親が、ジャングルの中を十年間にわたって行方を探しつづける話で、ブアマン一流のプリミティヴな暴力性が随所にちりばめられていて、それなりの迫力はある。もっともあまりにも話の流れが調子良すぎて途中から「なんだなんだ」という感じになって、最後の方はかなりバタバタになってしまう。ブアマンといえばなんといっても『ポイント・ブランク』『脱出』『エクスカリバー』の三作が最高で僕も大好きだけど、あとはいささか格が落ちる。食人族がみんなで歩調をあわせてジャングルの中を「ウッホ、ウッホ、ウッホ」と歩くところはターザン映画みたいでとても面白い。ブアマンという人は何を考えているのかよくわからないところが不気味である。

もっとも何を考えているのかよくわからないという点では『レッド・ソニャ』を監督したリチャード・フライシャーの方が上かもしれない。この映画は『コナン・ザ・グレート』と『コナン・ザ・デストロイヤー』とつづいたラウレンティスのロバート・E・ハワードものシリーズの三作目だが、一作ごとに確実にヴォルテージが落ちている。僕は個人的にはこの手の映画が大好きで、かなり好意的に観ている方だと思うのだけれど、それでも『レッド・ソニャ』はちょっとひどい出来だと思う。『ターミネーター』でぐっと評価の上がったアーノルド・シュヴァルツェネガーも『レッド・ソニャ』ではまったく精彩がない。当然のことながら客席も盛りあがらず、拍手も起こらない。ロバート・E・ハワードの原作にはもっとスリリングでワイルドなものがいくらでもあるのに、どうしてこのような凡庸にして退屈きわまりないものを作らなくてはならないのか理解に苦しむ。

『ペイル・ライダー』と『シルヴァラド』というふたつの興味深い西部劇については来週触れます。COMING SOON!

「ホノルル映画館」②

先週のつづきの映画の話。クリント・イーストウッドの『ペイル・ライダー』は久々の大作西部劇ということで業界の注目をあつめていたが、封切第一週で興行成績ナンバー1に踊り出た。イーストウッドの人気はさすがにたいしたものである。客席の反応も生き生きとしているし、作品の出来もなかなかのものである。ストーリーはだいたいのところ『シェーン』に似ているが、だからといって『シェーン』ファンがこの『ペイル・ライダー』を気に入るかというと、まずそういうことはないと思う。『シェーン』と『ペイル・ライダー』は筋が似ているぶんだけ内容の違いが目立つという奇妙な相関関係にある。『シェーン』のアラン・ラッドが戦後民主主義的な（というのはもちろん日本からのものの観方《みかた》だけれど）モラリズムの雰囲気を漂わせていたのに対して、イーストウッドはスーパー・ナチュラルなほど無機的なマッチョの役を演じていて、ザラッとした肌《はだ》ざわりがなかなか面白《おもしろ》い。多くの批評も『ペイル・ライダー』に対しては好意的で、「クリント・イーストウッドはこのジャンルで一作ごとに洗練の度を高めている」とか「過去十年間で最高に出来の良いウェスタン・ムービー」といった意見が主流を占めている。例によってカメラはブルース・サーティスだが、映像は『タイトロープ』のときほど極端に暗くはない。イーストウッド映画はニューヨークでは当たらないというのが定説だったが、今回は内容の良さが評判になって、ニューヨークのイースト・サイドで大当たりした。

同じマッチョ映画でも『ランボー・2』の方は批評家にメタメタにこきおろされたが、それにもかかわらず一億ドルの収益をあげ、この夏いちばんのブロックバスター・ムービーとなった。レーガン大統領はこの映画を観たあとで、「次に人質事件が起こったとしたらアメリカのとるべき道はもう決まっている」と語ったそうである。新聞にはバズーカを持ったレーガンの漫画が載っていて、見出しには「レガンボ・2」とある。ベイルート事件に対して一般アメリカ人の抱いているフラストレーションは我々が想像している以上に強いものである。そういう意味では実にタイミングよく公開されたということになるだろう。

批評家の多くはこの作品に右翼《ライト・ウィング》からの政治的なメッセージがこめられていることに対して生理的不快感を抱いている。スタローン自身も「もう一度戦争があれば、我々は勝つ」と語っているくらいだから、これはたしかに相当なものである。しかし

レガンボ☆
2
こんな映画が
かつてあったが!

それではスタローン氏はヴェトナム戦争のときにいったい何をしていたのか？　とある新聞はもっともな疑問を提出している。この新聞によれば彼は富裕な家に生まれ、毎日ウェイトリフティングをし（彼の母親はトレーニング・ジムを経営していた）、十九歳のときにスイスにある金持ちの子供たちを集めたアメリカン・カレッジに入学し、そこで女子学生に体操を教えるインストラクターのアルバイトをし、しかるのちにマイアミ大学の演劇科に入学した。そしてそのあいだにヴェトナム戦争は終結してしまったのである。こういう男にヴェトナム戦争をもう一度やれというような資格があるのか、というのがこのコラムニストの意見である。まあそれはともかくとしても、作品自体はかなり凡庸でとくに論評するほどのものでもないと僕は思う。

西部劇といえば『ペイル・ライダー』の一週後に封切られたローレンス・カスダン製作・監督・脚本の『シルヴァラド』は実によくできたウエスタンで、僕自身の好みで言えば『ペイル・ライダー』よりはこちらの方が数段面白かった。簡単に言うと、これまでヒットしたウェスタンの面白いところを全部集めて、『スター・ウォーズ』『レイダース』的なドライヴ感でぐいぐい引っ張っていくといったタイプの作品で、あれよあれよという間に二時間が過ぎてしまう。さすがローレンス・カスダンというか、たいしたものである。ストーリー自体はいわゆる「よくある話」なのだが、演出もカメラもほれぼれとするくらい細やかで新鮮、退屈する部分が一カ所としてない。キャスティングも絶妙。新聞は「もしこの映画が西部劇を復活させることができなかったとしたら、これ以降何をもってしてもその復活は不可能だろう」と絶賛していたが、僕も実に同感である。

スピルバーグがプロデュースし、ストーリーを書いた『グーニーズ』は完全な期待外れ。空まわりのしかたが活力を失いかけた頃《ころ》のディズニー映画によく似ている。スピルバーグもこのあたりで少し根性を入れないと飽きられてしまうだろう。

新聞によれば今年のサマー・シーズンの映画はかなりSLOW（入りが悪い）なのだそうである。そういえば昨年の夏も僕は一カ月半ほどアメリカにいて映画を観まくっていたけれど、それに比べると今年の作品群には今ひとつ活気がない。手放しで楽しめたのは『シルヴァラド』くらいだし、それも映画館が湧《わ》きに湧くというような受け方ではない。

昨年は『ゴーストバスターズ』『グレムリン』『カラテ・キッド』と、少なくとも映画館の湧く作品が揃《そろ》っていた。アメリカ人に言わせると、「去年の夏はオリンピックもあったし、マイケル・ジャクソンのツアーもあったし、大統領選挙もあったし、そういう相乗効果がうまく働いたんだけど、今年は祭りのあとだから」ということである。映画に限らず、今年のアメリカの夏はかなりSLOWなのである。

SLOWといえば僕のサーフィンの腕もかなりSLOWである。中古のボードを買って毎日沖に出ているのだけど、地元の少年たちのようにはなかなかうまく波に乗れない。波に揺られすぎて、この原稿を書いている今でも体がふらふらするくらいである。鵠沼《くげぬま》海岸の波とはかなり出来が違うようだ。波の権威である安西水丸氏に言わせると「一カ月くらいじっと波を見てなきゃ乗れないよ」ということだが、一カ月も波を見ていたらそれだけで休暇が終わってしまう。

中年とは何か？　その①「脱毛について」

先日ある週刊誌から「私の二十代」というページに出てほしいので、ついては二十代に写した写真を一枚貸して頂きたいという電話がかかってきた。僕は昔は写真を撮られるのがあまり好きではなく（今でもそれほど好きでない）、二十代の写真というのは殆どないのだが、それでもなんとか五、六枚はみつかった。

ところでその十年ばかり前の写真を見ていて発見したのだが、僕の髪は二十代の頃よりも確実に濃くなっているのである。最初は髪型が違うせいかなとも思ったのだが、何度見なおしても絶対に今の方が髪の量は増えている。ふさふさとしているし、密度も濃い。床屋に通う回数も昔より増えている。実に不思議である。年を取って髪の毛が濃くなるなんていう話はあまり聞いたことがない。

つれあいは「昔に比べて頭を使わなくなって、それでストレスがなくなったからじゃない？」と簡単に言うけれど、いくらノー天気な小説とはいえ、小説を書くからにはそれなりにやはり頭を使うし、頭を使えばストレスだってたまる。文壇とか業界とか税金とかローンもあるし、小説家だってのんびりと庭の雀《すずめ》を眺《なが》めて「もう春か」なんて言っていられる時代ではないのだ。「頭を使わないから」なんて簡単に片づけてほしくはない。僕にだっていろいろと苦労はある。苦労が外見に反映されないだけのことなのだ。

しかしそうはいうものの、つらつらと考えてみると、たしかに僕の髪が増えはじめたのは専業作家になってからである。とすれば専業作家になったことが僕の生活にどのような変化をもたらしたかということを総括してみる必要がある。そうすれば僕の増毛の秘密もおのずと解きあかされるはずである。いくつかの変化をリストにしてみると、

(1)東京を離れて郊外に住むようになった。
(2)他人と会うことが極端に少なくなった。
(3)早寝早起きをするようになった。
(4)きちんと三食を食べ、自分で料理を作るようになった。
(5)毎日運動をするようになった。
(6)つきあい酒がぐっと減った。

ということになる。もちろん髪が薄くなることについてはいろいろな原因が

あり、一概には結論を下せないとは思うけれど、僕の場合はこのような生活の変化が毛髪状況に良い結果をもたらしたということは言えそうである。逆に言えば身を擦り減らして小説を書いていないということになるのかもしれないですけれど。

一時期——五年ほど前のことだけれど——髪がかなり薄くなったことがあった。その頃は仕事の面でいろいろとごたごたがあって（今そのことを思い返すだけでもかなり疲れる）、そのせいで髪がどんどん抜けていった。風呂《ふろ》に入って頭を洗うと、床の排水口にいつも愕然《がくぜん》とするくらいの量の脱け毛がからみついていた。

僕はもともと髪の量が多い方なので、はじめのうちはそんなことは気にも止めなかったのだが、やがて風呂あがりに鏡の前に立つと髪のあいだから頭皮が少し見えるようになってきた。そしてそうこうするうちに、まわりから「少し髪が薄くなったんじゃない」と言われるようになった。この段階までくると僕もかなり頭を意識するようになって、髪型を変えたり、ヘア・トニックで懸命に頭皮をマッサージするようになった。脱毛とか勃起《ぼっき》不全とかいうのは（後者の方は今のところまだ関係ないですけど）肥満や禁煙と違って自分で努力してどうにかなるという種類のものではないだけに、当事者の心境にはかなり暗いものがある。

しかし他人というのは残酷なもので、本人が気にすればするほど、「大丈夫だよ、最近は良いかつらがあるから」とか「ハルキさん、禿《は》げたら禿げたでまあ可愛《かわい》いわよ」などと実にしつこい。これが耳が片方切断されたといったようなことであれば、みんな同情するし、面と向かってからかったりするようなこともないのだろうが、脱毛というのは具体的な痛みを伴わぬものだから真剣に同情されることは殆どない。とくに若い女の子は自分が禿げるかもしれないという恐怖をもたないだけに、この手のことに対しては相当に無邪気である。「やっだあ、本当に薄くなってる。ねえ、ちょっとよく見せて。頭の皮が見える。やだあ、うわあ」なんてね。こういうのはかなり頭に来る。

それでもありがたいことに、僕をとりかこんでいた面倒かつ不快な状況が改善されるにつれて、僕の脱毛量も徐々に減少し、二、三カ月経《た》つ頃には髪はすっかりもとどおりの状態に復した。それ以来髪について気にしたことは一度もない。いつかまた何かの加減で巨大なトラブルに巻き込まれて髪が抜けはじめることもあるかもしれないけれど、それまでは細かいことにはくよくよせず、余分な仕事はとらずにのんびりと日々を送りたいと思っている。

中年とは何か？　その②「肥満について」

先週は脱毛の話をしたので、今回は肥満について書きます。あまり明るい話題でもないので、読みたくない方はべつに読まなくて結構です。

中年になって（僕《ぼく》は三十六歳なので好むと好まざるにかかわらず一応初期中年という部類に属している）いちばん困るのは、放っておくとどんどん太っていくということである。二十代の頃はどんなに食べたり飲んだりしても体重計の針が六〇キロのラインを越えることはまずなかったものだが、最近ではちょっと油断するとあっという間に六五キロくらいになってしまって愕然としてしまう。どうも年を取ると「愕然とする」という経験が日増しに多くなってくるみたいである。困ったことである。

しばらく長編小説にかかりきりになって、時間が惜しくてジョギングを休止していたせいで、この二月には僕の体重はついに六六キロという未知《テラ・インコグニタ》の領域に足を踏み入れてしまった。運動不足に加えて仕事の緊張感からくる過食・暴飲とくれば、太るのが当たり前である。これくらいの体重になると体がいかにも重いし、サイズ29のズボン

法事とか結婚式で親類縁者が一堂に会する席に出てまわりを見まわすとおもしろい
タイプがちがうなあ

に体をつっこむのが苦しくなってくる。それで三カ月間減量に次ぐ減量につとめてやっと五九キロまで体重を落とすことに成功した。もう少しがんばってなんとか五八キロあたりにしっかりと定着したいと考えている。僕は身長が一六八センチなので、このあたりだといちばん気持ち良く生活できる。僕の経験から言って、一カ月あたり二キロくらいの減量ならそれほどの努力は必要だとは思わないが、それにしても「太るのはた易《やす》く、やせるのはむずかしい」という原則にはやはり変わりはない。べつの言い方をすれば「肥満に至る道のりは楽しく、やせる道のりは険しい」ということになる。

もっともこれは体質のせいもあって、中年になればみんな太るというわけのものではない。たとえば安西水丸さんなんか僕より一ランク（あるいは半ランク）上の中年だけれど、いつもやせておられてうらやましい限りである。それからうちのつれあいなんかも絶対に太らない体質である。

太る太らないという体質にはかなり遺伝的な要素が多いように僕は思う。このことは、たとえば法事とか結婚式とかいった親類・縁者が一堂に会する席に出て、まわりをぐるりと見まわしてみると実に明瞭《めいりよう》に理解することができる。僕の場合でいうと、うちの親類には太っているとまでいかなくともかなりふっくらとした体型の人が多く、つれあいの親類の方はみんなだいたいやせている。だから僕はたまに法事なんかに出たりするたびに「これは相当に根性を入れてかからないとえらいことになるな」と決意をあらたにしてフィットネスに励んでいるわけである。松本清張氏の古い短編に小指が短いという（たぶんそうだったと思う）ことで薄幸を運命づけられた一族の話があったけれど、僕は最近そういう人々の気持ちがとてもよくわかる。人生とは本質的に不公平・不平等なものである。ある種の人々が努力しなければ手に入れられぬものを別の種類の人々が努力なしに手に入れているというのは、不公平・不平等以外の何ものでもないと僕は思う。こういうことを書いているとだんだん腹が立ってくる。

しかしそのかわり――と言ってはなんだけれど――つれあいの家系には癌《がん》で死ぬ人が多く、それに対してうちの家系には癌で死ぬ人は殆《ほと》んどいない。肥満と癌に相関関係があるのかどうかまでは僕にはわからないけれど、かくかように家系というのはなかなか興味深いものである。僕なんかたまに結婚式によばれたりすると、会場の左右にわかれて並んだ両家の親類の顔つきやら体格やらをひとつひとつ見比べて暇をつぶしている。そういう機会があったらぜひ一度ためしてみて下さい。絶対に面白いから。

ところで世間には肥満で悩んでいる人が多いらしく、本屋にいくとやせるためのノウハウ本がずらりと並んでいて、その多くはベストセラーになっているようである。僕もいくつか手にはとってみたのだけれど、僕の感じで言うと〈これぞ決定版！〉というのは一冊もないように思う。三冊の本を読めば、そこにはやせるための三通りの方法があって、そのそれぞれの方法がまったく逆の説を主張しているという例が多すぎるのである。それから中にはかなり極端な主張を展開しているものがあり、やせるための栄養学がまだきちんと確立されていない現在、あまり片よった療法にたよることには人によっては危険が大きいと思う。

僕はだいたいが凝り性なので、ダイエットやフィットネスについてはずいぶん研究してみたのだが、その結果出た結論は「人には様々な顔つきや性格があるように、人の太り方にも様々な太り方があるのであって、万人に適したやせ方はない」ということであった。だから自分の体質や食生活や職業や収入にあわせて一人一人が自分に適した方法をみつけていくしかないのである。アメリカにおける精神科医のような権威ある立場の栄養科医がいて、個人個人の話を「うんうん」と聞いて、その相手にあわせたフィットネス・プログラムを出すというのが理想的じゃないかと思うのだけれど、なかなか急にそこまではいかないだろう。今のところは十把《ぱ》ひとからげのダイエット本でまにあわせるしかないのである。

しかし何はともあれ、フランス料理店でディナーを食べてデザートをパスする悔しさ・不快感というのは筆舌に尽くしがたいと思いませんか？

学習について

世の中には大きくわけて「人にものを教えるのが好き・得意な人」と「人からものを教わるのが好き・得意な人」がいると思う。もちろん両方とも得意という人もいるし、両方とも不得意という人もいるだろうが、おおまかに言えば、最初のふたつにわけられるはずである。

僕はどちらかといえば「教わるのが好き」な方のタイプで、人に何かを教えるのはまったく不得意である。だから講演の依頼とかカルチュア・スクール「小説作法講座」講師の依頼とかがあってもいつも辞退させて頂いている。世の中で何が不幸かといって、教えるのが不得意な人間が他人にものを教える立場に置かれることくらい不幸なことはない。だいたい僕に小説作法を教えられた人がその先いったいどういう小説を書くのだろうと考えただけで頭がかなりぐらぐらしてくる。教える方も不幸かもしれないけれど、教わる方だって相当不幸である。

アメリカの大学には「創作科（クリエイティブ・コース）」というのがあって、ここでは作家が学生たちに小説の書き方を教えている。僕も実際に目で見たわけではないので正確なことは言えないけれど、だいたい十人以内くらいの生徒が週に一回集まって自分の書いた短編小説を発表したり、それについてディスカッションしたりするみたいである。そして教師である作家が生徒の作品をチェックして、書きなおすためのアドバイスを与えるわけである。

このシステムの良さは生徒がプロの作家と触れあえ、実戦的なアドバイスを受けられることと、作家の収入が安定することにある。教師としての仕事量はそれほど多くないから、作家は余暇を自分の創作にあてることもできる。こういうシステムが教育手段としてどれくらい有効なのかは僕には判断できないけれど、日本の大学にも少しくらいはこのようなコースがあっても良いのではないかと思う。僕にはとても無理だけれど、教えるのが得意な作家と教わるのが得意な生徒が合体すればそれなりの効果は生まれるはずである。「大学の教室なんかで小説の書き方が学べるものか」という意見はやはり一面的にすぎると思う。人は——とくに若い人々は——あらゆるところから何かを学んでいくものだし、その場所が大学の教室であったとしても何の不都合もないはずである。

もっとも僕自身は学校というものがあまり好きでなく、ろくに勉強もしなかったし、

どちらかといえばかなり反抗心の強い生徒だった。中学校については教師に殴られていたことしか覚えてないし、高校時代は麻雀《マージャン》をやったり女の子と遊びまわったりしているうちに三年が終わり、大学に入れば学園紛争で、それが一段落した頃には学生結婚し、そのあとは生活に追われてという有り様で、考えてみれば腰を落ちつけてじっくり勉学に励んだという覚えがまったくない。とくに早稲田大学文学部には七年も通ったけれど――これは自信をもって言えることなのだが――何ひとつとして学ばなかった。早稲田大学で得たものといえば今のつれあいだけだが、女房を見つけたからといってそれが早稲田大学の教育機関としての優秀性を証明していることにはなら

ない。

僕が物事を教わるのが好きになったのは大学を出ていわゆる「社会人」になってからである。あるいはそれは学生時代に目いっぱい遊んだからかもしれないし、学校という制度がもともと性格的に不向きだったのかもしれないし、あるいは僕が自発的に何かを行うということに価値を見出すタイプであるからかもしれない。それで仕事の暇をみつけては自分の好きな英語の小説をコツコツと翻訳したり、知りあいにフランス語を習ったり、という生活を送るようになった。それだけではなく、仕事場でも意識的に人々の行動を観察したり、いろんな人の話すことを注意深く聞くように努力した。

人の話を聞くというのはなかなか面白《おもしろ》いものである。世の中にはいろんな人がいるし、いろんな考え方がある。なかには「なるほど」と感心させられる意見もあるし、まったく無意味で馬鹿気《ばかげ》た考え方もある。しかし無意味で馬鹿気た考え方というのも、よく聞いていると、それはそれなりの価値基準の上にきちんと成立していることがわかる。いずれにせよこちらが一歩さがって話を聞こうという態度を見せると、大抵の人はわりに正直に心のうちを話してくれるものである。その当時は小説を書くなんて思いもよらなかったのだけれど、こういう学習体験は後日小説を書く上で大変役に立った。こういうのは大学では教えてもらえないことのひとつである。

僕は思うのだけれど、あまり若いうちに勉強しすぎると、大人になって「勉強減り」とか「勉強ずれ」といったような現象が生じる場合があるのではないだろうか？「勉強減り」というのは学生時代にやたら勉強したけれど社会に出てからは寝転んでTVばかり見ているというタイプであり、「勉強ずれ」というのはとにかく何かを勉強していないと落ちつかないというタイプである。

まあそういうのは所詮《しょせん》他人の生き方だからどうでもいいようなものだけれど、僕は個人的には子供の頃しっかり遊んだ人の方がわりに好きである。安西水丸氏などは画風からすると少年時代かなりのんびりとした生活を送った人のように推察するのだけれど、いかがなものでしょう？

オーディオ・スパゲティー

新聞やら雑誌やらをたまに読んでいると、いろんなものが発見されたり発明されたりしたという記事を見かけることがある。中には「へえ」と感心するものもあるし、いったいそれが何を意味しているのかよくわからないというものもある。たとえば「東京大学理学部の××博士はニホンザルの脳下垂体を電気的処理によって階層化することに成功した」なんて言われても――これはもちろん出鱈目《でたらめ》な例だけれど――いったい何のことなのかさっぱり理解できない。

しかしたとえ「へえ」と感心できるような類《たぐい》のことであっても、それがどのような原理に基づいて、どのような段階を経て成立したのかということになると、それはそれで僕にはまるで理解できない。僕は昔から化学とか物理にはひどく弱い方なのである。

こういう発明なり発見なりは、

①　ある必要が生じて、

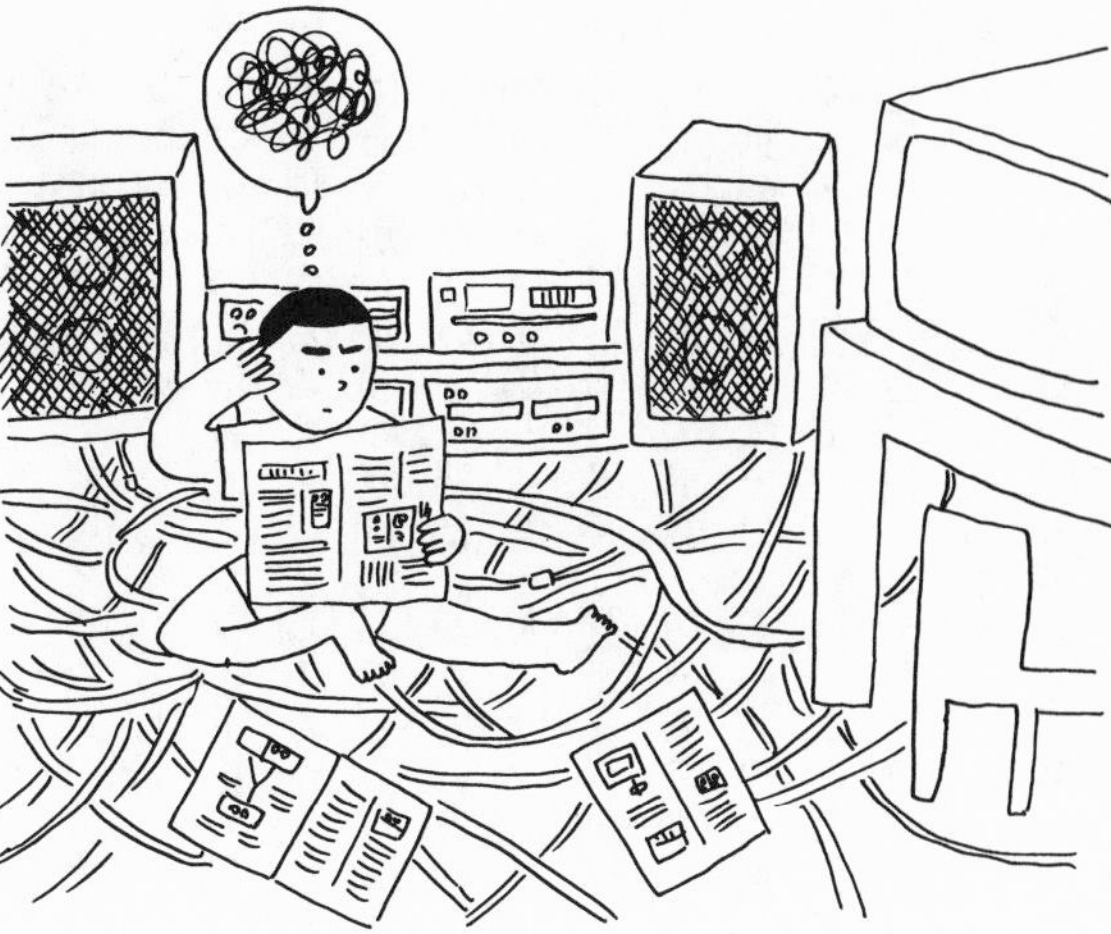

② その必要を充《み》たすための然《しか》るべき理論的考察なり試行錯誤なりがあって、

③ 発明なり発見なりに至る。

ということになるのだろうが、①と③はなんとか理解できたとしても、②の部分についてはむずかしすぎてよくわからない。だから①こういう必要があって②ムニャムニャ③こういうものができた——という程度の認識ですべてが終わってしまう。つまりヴィデオ・レコーダーを例にとると、

① 映像をテープに簡単に録画できると便利である、

② ムニャムニャムニャ、

③ ヴィデオ・レコーダーができた。

というようなことである。ヴィデオ・レコーダーがどのような原理で成立しているのか僕にはまったく説明できない。しかし日常的に僕はヴィデオ・レコーダーをとくに支障もなく使いこなしているし、けっこう重宝もしている。ワットの蒸気機関とかマルコーニの電信装置とかライト兄弟の飛行機くらいまでなら、僕にもなんとかその原理を理解することもできるのだが、それより先のテクノロジーとなると、僕にとってはあらかたが闇《やみ》の底に沈んでいる。

しかしそういう状態に置かれているのは——決して安易に仲間を求めているわけではないのだけれど——僕一人だけではないと思う。たとえばみんなが日常的に使っているあの二、三千円出せば買えるポケット計算機にしたって、どうしてあんな小さなもので$\sqrt{13}\times\sqrt{272}$の計算ができるのか、きちんと説明できる人はそれほどいないだろう。世の中一般の人々はおそらく僕と同じように「これはこういうものだから」と思って、あれを使っているに違いないと僕は推察する。

そうしてみると、我々はテクノロジーに関していわば絶対君主的な体制下に置かれているということになるかもしれない。ある日突然〈お触れ〉の如《ごと》く新発明なり新発見なりが空から舞い下りてきて、みんなは「これはどういうことだっぺ？」とか「よくわかんねえずら」とかわいわい言うのだけれど、それでもとにかく「殿様の言わはったことやから間違いあらへん」ということで、それに馴《な》れてしまうのである。少なくともテクノロジーに関してはデモクラシーというものは完全に終結してしまってい るように僕には思える。

僕は今、家で二台のプレーヤーと三台のテープ・デッキと一台のFMチューナーと二台のVTRと一台のレーザーディスク・プレーヤーを使っているけれど、これはもう地獄のような毎日である。まず三台のテープ・デッキをテープ・セレクターにつなぎ、VTRとレーザーディスク・プレーヤーをヴィデオ・セレクターにつなぐ。そしてヴィデオ・セレクターにFMチューナーのアウトプットを入れて、ハイ・ファイ録音できるようにする。それをオーディオ・テープにダビングできるように、ヴィデオ・セレクターのアウトプットをテープ・セレクターに入れる。それからFMチューナーの電源をオーディオ・タイマーにさしこんで……と考えていると、途中からもう何がなんだかわからなくなってくる。たとえば「レコードを聴きながらFM放送をヴィデオ・デッキに録音し、それを同時にカセットにダビングすることは可能か?」なんて訊《き》かれてもしばらく考えないと結論は出てこないし、出てきた結論はしばしば間違っている。配線をメモした紙をじっとにらんでいても、頭は混乱するばかりである。

女房は最初からそんな努力は一切放棄して、オーディオ装置には手も触れない。

いちばん困るのが引っ越しのときで、機械を並べて配線しなおすだけで一日仕事になってしまう。「えーと、このアウトプットがこっちのインプットで……」なんてやっていると、だんだん「どうして俺《おれ》はこんなことやんなくちゃならないんだ?」という絶望的な気持ちになってくる。高校時代にはじめてオーディオ・システムを組んだ頃は、世界はもっと単純であった。プレーヤーとスピーカーと総合アンプ(というのがあった)をつなぎあわせるだけですべては終わり、あとはのんびりと音楽を聴いていれば良かったのだ。それが今では五人前のスパゲティーを床にぶちまけたようなコードの山にうずもれて悪戦苦闘しなくてはならない。これをデモクラシーの死と呼ばずして、いったい何と呼べばいいのか?

間違いについて

ものを書くことを職業にするようになっていちばん痛切に感じるのは「人は必ず間違いをする」ということである。もちろんものを書く以前から日常的にいろいろと間違いをしてきたから今さらそんなことあらためて痛感する必要もないようなものなのだけれど、もの書きになる以前は大抵の誤ちは「あ、ごめん、マチガイ」で済んでしまった。相手の方も「本当にもうしょうがないな」で済ませてくれた。

しかしものを書いていると、間違いというのは確実にあとに残るし、しかも広範囲にその間違いがばらまかれる。その間違いがわかっても「あ、ごめん、マチガイ」と読者の一人一人に謝ってまわるわけにもいかない。そういうのは自ら招いたこととはいえ、けっこうしんどいものである。そのかわり——というのもなんだけど——僕は他人の間違いや失敗に対してはわりに寛大な方ではないかと思う。他人の失言をとりあげて「おい、お前あのときそう言ったよな、え、そうだよな」なんてからむことはまずない。おかげで十四年間まずまず平穏な夫婦生活を送っている。

文章上の間違いでいちばん問題になるのは翻訳である。なにしろオリジナルのテキストがあるわけだから、僕より語学力のある人が克明にテキストと訳文をつきあわせれば細かい間違いなんていくらでもでてくる。

先日葛飾《かつしか》区の森下さんという人からハガキをいただいて、「あなたの訳文の中で a couple of weeks が『二日』となっていたけど、これは『二週間』の間違いではあるまいか」という指摘を受けたけれど、これはもう本当に誰《だれ》がなんと言おうと僕の間違いである。申しわけないと思う。それから恥をさらすようだけれど「twenty one」を「31」と訳したこともある。「bald」と「bold」を間違えて訳したこともある。どうしてそんな間違いをしたのか、さっぱりわけがわからない。学生時代に答案用紙に「つまらないミスが多いのでよく見なおすように」と何度も書かれたことがあるが、そういう性向は齢《とし》をかさねてもなかなかなおらないみたいである。

ただ——こういうことを書くのは弁解がましくて申しわけないとは思うのだけれど——ひとつの文章、ひとつの単語を正確に訳すために丸一日うなっていることもあるのだということはわかっていただきたいと思う。そしてそういう肝《きも》の部分をなんとか通過して比較的平明な部分に入ったときにふっと安心してイージーミスが生じるということが多々あるのだ。もちろんあとでテキストと訳文を何度もつきあわせてみるの

だが、「こんなところでミスするわけはない」という頭があるから、何度チェックしても間違いは発見できない。困ったことである。考えれば考えるほど冷や汗が出る。

　他人に指摘されるまでもなく、自分で自分の犯した誤訳にあとになってはっと気づくことがある。夜布団《ふとん》に入ってライトを消し、ぼんやりとしているときに「あっ、違う、あれはマチガイだった！」と思ってとび起きたりすることもある。こういうケースはケアレス・ミスというよりはもっと重大な意味を持つミステークであることが多く、従って前者よりはずっと冷や汗の量も多い。しかし、それはそれとして僕の犯す数多くのケアレス・ミスをいっぱい集めてそれを病理的に分析してみると、かなり面白い研究になるのではないかと思うこともないではない。文章にとどまらず、僕は日常生活のあらゆる側面で信じられないような間違いを犯しながら生きているからである。たとえば「小便をしよう」と思って便所に行くつもりが間違えて浴室に入ってシャワーを浴び、そのまま部屋に戻《もど》ってきて、「あれ、変だな、まだ小便がしたいな。体の具合がおかしいのかな」といぶかるようなことは日常茶飯事なのである。そういうのに比べると、twenty one を「31」と訳すのもあながち突拍子もないとも言えないような気がする。時刻表や電話帳の編集者にならなくて本当に良かったと思う。

翻訳に限らず、こういう自前の文章を書いていてもときどきひどい間違いをする。しかし僕はどちらかというとデータを駆使して論陣をはってというタイプのもの書きではないし、モデル小説やノン・フィクションも書かないし、それでとくに誰かを傷つけるということもないので、大抵の間違いや事実誤認は笑ってごまかしてしまう。

先日昭島市の岡村さんという方から、村上さんの小説の中に「フォルクスワーゲンのラジエーター」という表現が出てくるがこれはおかしいのではないかという投書が某誌に載っていましたけれど御存知ですか、という手紙を頂いた。僕は自動車のことはよく知らないのだけれど、人にきいてみるとたしかにVWビートルにはラジエーターはないらしい。間違いである。

しかしそれで僕が平身低頭して謝るかというと、そんなことはなくて、やはり笑ってごまかしてしまう。なぜならこれは小説だからである。小説の世界にあっては火星人が空を飛んでも、象が縮んで手のひらにのっても、VWビートルにラジエーターがついていても、ベートーヴェンが第十一番交響曲を作曲していても、それは一向に差し支《つか》えないのである。逆の言い方をすれば、「あ、そうか、これはVWビートルにラジエーターがついている世界の物語なんだ!」と思って小説を読んでいただけると、僕はとても嬉《うれ》しいです。

それでもやはり間違いは我慢できないというマジメな方は近日出る英語版『PINBALL, 1973』の方ではその箇所をちゃんとなおしてありますので、そちらを読んでみて下さい――としっかり宣伝しちゃったりしてね。

「夏の終わり」

いよいよ夏も終わりである。僕《ぼく》は夏大好き少年・おじさん（という表現を最近わりあい自嘲《じちょう》的な意味あいで使用することが多い）なので、夏が終わるとなるとかなり哀《かな》しい。夏なんてまた来年も来るんだからと自らにいいきかせても、海の家がたたまれたり、赤とんぼが空を舞ったり、海岸にウェットスーツ姿のサーファーが増えたりするのを目にすると、良いことなんてみんなもう終わってしまったんだという気がしてならない。こういうのは発想としては子供と殆《ほとん》ど同じである。

先日某広告会社に勤める近くの知りあいの家に遊びに行ったら、奥さんが出てきて「すみません、夏の休暇が終わって今日から出勤したんですよ」ということであった。そう言われると、「そうか、夏が終わってみんな社会復帰していくんだな。水泳だ日光浴だ花火だビーチボーイズだサーフィンだといまだにちゃらちゃらと遊びまわっているのは僕くらいなんだな」とつらい気持ちになってしまう。僕だって九月はじめまでに仕上げなきゃいけない小説の仕事があるというのにまだ一行も書いていない。こ

んなことでいいんだろうか、と思う。夏の終わりというのはなかなか切ないものである。

それで「お仕事大変ですねえ」と僕が言うと、「ええ、行きがけに長ズボンをはくのが嫌《いや》だってさんざんわめいていましたけど」とその奥さんは言った。そういう人の気持ちは僕には痛いほどよくわかる。夏というのは原則的にショート・パンツをはいて、ランニング・シャツを着て、ビールを飲みながら過ごすべき種類の季節なのである。僕だってこの二カ月半のあいだに長いズボンをはいたことはたった一回しかない。夏の休暇が終わって長いズボンをはかざるを得なくなった彼の心境を思うと、他人事ながら気の毒で仕方ない。こんな蒸し暑い国なんだから半ズボン通勤くらい会社だって許可するべきじゃないかと僕なんかは思う。だいたいあんなみっともない省エネスーツなんてものが存在したくらいなんだから、サラリーマンが半ズボンをはいて会社に行ったって何の問題もないじゃないか。

という話をしたら、「半ズボン通勤なんて会社が許可するわけないじゃない」とこれも会社づとめの知りあいにあきれられた。「僕なんて夏のあいだずっと長袖《ながそで》のシャツだよ。おまけに日焼けしてもいけないんだから」

この人は今年の春から損保会社の顧客係をしている。まあ顧客係だから長袖シャツを着用しなくてはいけないというのはわからないではないけれど、日焼け云々《うんぬん》というのがよく理解できない。僕は一度も会社づとめをしたことがないので、会社のしくみや成りたち方というのが本当にわからないのである。

「あのね、お客と会って話すじゃない」と彼は説明してくれる。「そのときこっちが日焼けしてるとさ、こいつ俺たちの払う保険料で遊びまくりやがってという風に思う人がいるんだよね。僕らの商売はお客に反感持たれるとやっていけないからさ、それで日焼けできないの。僕なんかけっこう太ってるじゃない。そうするとさ、『もうかってもうかって、毎日いいものばかり食べてるから太るんでしょう』って嫌味言う人がいるから困るんだよね。僕なんか何食べても太るのにさ」

このいろいろと話を聞くと、それぞれにみんな大変なんだなあと同情してしまう。

人は昨年まではヨットだスキューバだと遊びまわってまっ黒になっていただけに、気の毒さもまたひとしおである。人というのは成長するにつれて夏の楽しさを少しずつ失っていくみたいだ。

子供の頃《ころ》、家が甲子園球場からわりに近かったので、夏になると自転車に乗ってよく高校野球を見に行った。高校野球の外野席はただだから、子供にとってあれは天国のようなものである。ビニール袋に入ったかちわり氷をなめたり、溶けた水をストローで吸ったり、頭にのせて冷やしたりしながら、丸一日飽きもせず野球を見ていたものだ。TVで観《み》る高校野球というのはうだうだとどうでもいいような解説があったり、アナウンサーが一人で興奮していたりでかなり興ざめなものだけれど、実際に球場に行って観戦するぶんにはあれはなかなか良いものである。僕はTVの高校野球は不快なのでまず見ないけど、甲子園にはもう一度行ってみたいなと思う。とくに外野席にいるとまわりの客席もわりにシラッとして適当にやってるし、「なんか遠くの方で高校生がパタパタやってるなあ」というくらいの感じしかない。青春だとか汗だとか涙なんていったものはどこにも見受けられない。少なくとも僕にとっての高校野球というのはそういうものであった。

高校野球の決勝戦が終わり、閉会式が終わり、応援団が旗をたたんでぞろぞろと帰っていく頃になると、子供心に夏も一区切りついたなという思いがしたものである。どういうわけか閉会式が終わって球場の外に出ると、いつも赤とんぼの群れが頭上を舞っていた。それが少年時代の僕にとっての夏の終わりであった。この時期になるともう甲子園の浜も芦屋《あしや》の浜もあまり泳げなくなり、宿題も本腰を入れて片づけなくてはならなくなってくる。良いことなんてみんなもう終わってしまったのだ。

ときどきどうしてこんなに夏が好きなんだろうと我ながら不思議に思うのだけれど、その理由はいまだによくわからない。

高校野球の記事が殆ど載らない全国紙がひとつくらいあってもいいと思う。そういうのがあったら購読してもいい。

不用物の集積について

僕はものにとくに執着心が強いわけではないし、収集癖といったようなものもあまりない方だと思うのだけれど、それでも放っておくといろんなものが身のまわりにどんどんたまっていく。レコードだとか本だとかテープだとかパンフレットだとか、その他書類・写真・時計・傘《かさ》・ボールペンといったような類《たぐい》のものである。あるものはそれなりの必然性があって増えるし、あるものは何の必然性もなしに増える。しかし必然性の有無におかまいなくそれらの事物は自動的に増加していくものだし、我々の限られた力でその流れを阻《はば》むことは殆ど不可能でさえあるように僕には思える。

こういう不用物自然増加の傾向は若いうちはそれほど顕著ではないのだが、人生があるポイントを越えると、それは突然明確なかたちをとって我々の前に姿を現すようである。とにかく好むと好まざるとにかかわらず、やたらと身のまわりのものが増えていくのだ。もらいものもあれば、自分で金を払って買ったものもある。そのどちらであったか思いだせないものもある。少しは役に立つものもあれば、殆ど何の役にも立たないものもある。しかしそれらはあるひとつの共通する特質をもって僕のまわりをとりかこんでいる。それは〈簡単には捨てることができない〉という特質である。

たとえばうちには全部で五十本くらいのボールペンがある。しかし「どうして五十本もボールペンがあるのか?」と質問されても、急には答えられない。僕はボールペンというのは仕事にはまず使わないし、仕事以外の日常生活で使うとしても、手帳にメモしたり、クレジット・カードにサインしたりといったような場合に限られている。だからとくに意識して文具店でボールペンを買い求めたという記憶は殆どない。にもかかわらず、ボールペンは絶え間なく増えつづけるのである。そしてどのボールペンも一センチか二センチくらいしかインクが減っていない。こうなるとこちらとしても「ボールペンというのは勝手に増殖して増えていくものだ」とでも認識してあきらめるしかないような気がする。

とはいってももちろん正確にはボールペンは勝手に増殖しているわけではなく(もしそうだとしたら赤青混合とか青黒混合なんていうボールペンがメンデルの法則に従って存在しているはずである)、よく考えてみればそれが増えるには増えるなりの理由がいくつかちゃんと存在していることがわかる。記念品としてもらったり、誰かが忘れていったり、旅先のホテルのものをみやげとして持って帰ったり、外出先で筆記

具を忘れてきたことに気づいて間にあわせにキオスクで買い求めたり（なにしろ安いので）、といったような理由である。そのような経路を経て、五十本のボールペンは夜の雪のごとく静かに我が家にたまっていったのである。引っ越しのたびに僕はそのボールペンの束を目の前にして、心の底からうんざりすることになる。五十本のボールペンなんておそらく僕には一生かけたって使い切れないのだ。

しかしそれではその不必要なぶんのボールペンを邪魔だからといってあっさり捨ててしまえるかというとこれができない。まだインクが残っていて使用可能の状態にあるボールペンをごみ箱に捨てるというのは、ミネラル・ウオーターで歯を磨《みが》くのと同じくらい勇気を要する行為である。だからどれだけ引っ越しの回数をかさねても、ボールペンの数は絶対に減らない。ときどき「もうインクが固まって書けなくなっているのがあるんじゃないかな」と期待して一本一本ためしてみるのだが、最近のボールペンは質が向上したのか、そういう例は殆ど見受けられず、がっかりしてしまう。

しかしボールペンくらいだとどれだけたまったところで、そんなに重くはないし場所もとらないから、目にみえる実害というほどのものはない。問題は本とレコードである。仕事柄《しごとがら》本の数はどんどん増えていくし、レコードも数えたことがないからよくわからないけれど（数える気もしない）、全部で三千枚近くはあるんじゃないかと思う。レコード三千枚とひとくちに言っても、一枚裏表四十五分として全部とおして聴くには二千二百時間以上かかる。要するにそんな量のレコードはどう考えても不必要なのだ。引っ越しをするたびにもう死ぬ思いである。なんとかしなくちゃなあと切実に思う。

「十枚新しいレコードを買ったら、古いのを十枚売るようにすればいいじゃないの。どうせそんなに沢山聴けるわけじゃないんだから」とつれあいは言うし、僕もたしかにそれが正論だと思う。しかし現実問題としてはなかなかそう上手《うま》くはいかない。「これはちょっと珍しいレコードだから」とか「これは高校のときに買った思い出深いレコードだから」とか「あまり聴かないけど、この一曲だけは気に入っているから」とか考えはじめると、結局在庫がぜんぜん減らないということになってしまう。困ったことである。

実は今も何カ月か後に迫った引っ越しにそなえてレコード五百枚・本五百冊削減に励んでいるのだけれど、例によってなかなか簡単にいきそうにはない。

インタビューについて

最近はそうでもないけれど、一時期アメリカ版『プレイボーイ』に載っている「プレイボーイ・インタビュー」が好きでほとんど毎号欠かさず読んでいたことがある。このインタビュー・シリーズは、もちろんその回ごとに幾分の出来・不出来はあるにせよ、トータルするとかなり高い平均点をとっていたと思うし、カート・ヴォネガットやメル・ブルックスなんかのものは今でもよく覚えている。

最近でこそあまり珍しくはないが、以前はこれほど広いスペースをとって相手にエンエンとしゃべらせるインタビュー記事は他《ほか》になかったので、しゃべる方もそれならばと身を入れてしゃべるし、その結果多くの場合タイトルどおりの「腹蔵のない会話(candid conversation)」を引き出すことに成功していた。

もちろん長ければそれだけで相手は正直にしゃべるというものではないから、そこにはあらかじめおおまかなプログラムのようなものが設定されているし、ポリシーもはっきりとしている。そうしなければ、ロング・インタビューというものはただの言

葉のたれ流しになってしまう。このへんがインタビュアーの腕の見せどころである。

プレイボーイ・インタビューの基本的ポリシーはだいたいこういうものである。

（1）そのフィールドに詳しい人物をインタビュアーに指定し、誌面ではその個人名は伏せる。

（2）インタビュアーは原則として相手に対して七分くらいは好意を抱いていること——あるいは少なくとも相手にそう感じさせること——が望ましい。（残りの三分で挑発《ちょうはつ》する）

（3）話の流れを切らず、淀《よど》ませず、質問は簡潔にする。

もちろんこれは『プレイボーイ』のポリシーであって、他のすべてのインタビューにそのままそっくり敷衍《ふえん》できるものではないが、それでもこの三つのポイントが多くの一般的なインタビューを成功させるための重要な鍵《かぎ》であることは間違いのないところだろう。

もう少し別の言い方をするなら、

(1)「なんだ、こんなことも知らないのか?」と相手に見下されないようにする。下調べは綿密にやる。

(2) 相手をリラックスさせ、話をひきだし、しかもときどき冷やりとさせる。

(3) プログラムにとらわれず、相手の発言に臨機応変に対処し、話の大筋を終始前へ前へと進める。

ということになるわけだが、まあ、「言うは易《やす》し」で、実際にやってみるとこれくらいむずかしいものはない。僕自身もインタビューに興味があるので何度かインタビュアーをつとめたことはあるのだが、そう簡単にはいかないです。

逆にインタビューされる側としても、「ああ、良いインタビューだった。有益だった」と喜べるインタビューをされた経験というのはそれほど数多くはない。これはもちろん僕の方にもいくばくかの責任があって、インタビュアーだけにその原因を押しつけているわけではないのだが、多くの場合には「こんなのでいいのかなあ」という不満が残る。

日本のインタビューの最大の問題点は、インタビュアーが前もって用意していたプログラムに固執しすぎることだと僕は思う。何かの質問があって、それに対して回答をして、その話がどう膨らんでいくのかなあと思っていると、「じゃあ次の質問ですが——」ということになってガックリとしてしまうことがよくある。こちらだってその場にあわせて適当にしゃべっていることもあるし、口から出まかせとまではいかなくともわりにいい加減に作ってしゃべっていることもあるし、かなりあやふやなことも言っているし、そのへんをつっこまれると辛《つら》いなと思うこともあるのだが、そういう弱点を突いてくる人は——少しはいたけれど——あまりいない。そうなるとこちらとしてもスリルがないので、ますます適当な路線でいってしまうことになる。

何年も小説家をやっていて、何十回もインタビューを受けていると、こちらも「こういう質問にはこう答えておく」というパターンができてしまっていて、こういうのは楽といえば楽だし、面白《おもしろ》くないといえば面白くない。小説家というのは書いた小説がすべてだと思うし、とくに僕は自己防御能力が強い方なので、何を質問されてもそうなかなか正直に本心を打ちあけるものではない。だから放っておくと、六分正直・四分ガードというあたりで話がどんどん進んでいってしまうわけである。それが七分・三分くらいだと少し面白いインタビューになる。八分・二分だと、自分でいうのもナニだけど、いくぶんショッキングな内容もあばかれていくのではないかと思う。

それから綿密な下調べをしてくるインタビュアーというのもそれほど多くはないみたいだ。雑誌の人はみんな忙しいから無理もないとは思うのだけれど、こちらが冷やりとしてうまくはぐらかすことができなくなるような質問を用意してしかけてくる人はあまり見かけない。もっともあるいはそれは人々が親切なだけなのかもしれない。まあ僕としてはその方が楽だから有り難《がた》いんだけど。

ところでインタビューの中で質問される事項というのはだいたい決まっていて、いちばん回数の多いのは次の三点である。
(1)　何時に起きて、何時に眠るか？
(2)　筆記具は何を使っているか？
(3)　奥さんとはどこで知りあったか？
そんなこと訊《き》いて何かの役に立つんだろうかといつも心配するのだけれど、みんなが訊くところをみると、やはりそれにはそれなりの意味があるのだろう。

「うゆりずく」号の悲劇

四年ばかり前に「自動車における横書き表記」についてある新聞のコラムに短い文章を書いたことがある。

といってもそれだけでは何のことだかおそらくおわかりにならないだろうからもう少し詳しく説明させて頂くと、僕《ぼく》はこのコラムの中で商用車なんかの右側面に書いてある文字が左右逆転していることを問題にしていたわけである。

たとえば「白鳥クリーニング店」の車の左側にちゃんと左↓右で「白鳥クリーニング店」となっているのに、右側では右↓左で「グンニーリク鳥白」と反転している。どうでもいいといえばいいようなことだけれど、僕は昔からあれが気になって仕方なかった。いつも一瞬「あれ、グンニーリクって何だ?」と深く考えてしまったりする。それに加えて、店名の下の電話番号だけはちゃんと左↓右で書いてあったりするとこれはもう地獄である——という趣旨の文章を書いたわけだ。

もっとも僕の主張なんて非力なものだから、こういう文章を書いたからといってそれで世の中の体制・習慣が一朝一夕に改まるわけではない。最近の例では「スジャータ」という会社のトラックがけっこう気になる。これもやはり右側面が「ターヤジス」で統一されているからである。これが「ターヤジス」ならまだそれほどでもないのだが、「ターヤジス」とヤが小さくなっているところがどうも神経にひっかかる。いったいどう発音していいか見当もつかないし、なんだか石につまずいたような感じがする。だから僕はこの会社の車を見かけるたびに反射的に目をそらすようにしているのだけど、またこれがどういうわけか町をいっぱい走ってるんだよね。べつに「スジャータ」という会社そのものに対して恨みは何もないけど。

一方デザイナーの人々もこの問題には少なからず頭を痛めておられるようである。車の右側面に左↓右で文字をデザインすると、必ず会社側からクレームがついて右↓左に改変させられるからである。

その僕の文章が新聞に掲載されてからしばらくして、京都の大学でグラフィック・デザインを専攻しておられる松味さんという方から「乗り物の右側面左書きの奇妙な習慣」という四ページほどの薄いパンフレットが送られてきた。これは「乗り物の右側面の右↓左がどうして間違っているか」ということについてきちんとした例証をあげて論じたなかなか立派な内容のものであった。文章も論旨もしっかりしていて、説

得力があるし、それにも増して同じ思いを抱いている人が他にも存在しているという事実に僕はかなり勇気づけられたのである。

そのときはすぐに御礼状を書こうと思っていたのだが、例によってずるずるとのばしのばしになって、結局四年もの歳月が流れてしまった。どうもすみません。本当に申しわけないと思う。

この松味さんのパンフレットによると、我が国の車や船舶における右側面表記の大半は間違っているのだそうである。とくにひどいのが船舶で、間違っていないのをみつける方が困難であるらしい。たとえば海上保安庁の船は右側面から見ると、

「とろむ」

「うゆりずく」

「もりえ」

「まじの」

　なんていうのが並んでいて、これはかなりおかしい。「うゆりずく」が「九頭龍」だと一目でわかる方はそれほど沢山はいらっしゃらないはずだし、「もりえ」というのはブレッド・アンド・バターの古い唄《うた》のタイトルに似ているし、「まじの」はフランスの要塞《ようさい》みたいである。「とろむ」というのもSFぽくて悪くはない。しかしいくら語感として悪くはなくても、だからべつにまぎらわしくたっていいんだということにはならない。昭和二十四年の内閣通達で「公用文章は左↓右に書くこと」と定められているからである。船船できちんと左↓右に統一されているのは海上自衛隊と一部のフェリー会社に属する船舶くらいだということである。このパンフレットは一九七七年の発行なので多少事情は変化しているかもしれないが、それにしても状況がここまでひどいとは僕も思わなかった。

　何故《なぜ》人々が乗り物の右側面に限って右↓左表記を好むかというと、これはやはり進行する方向に沿って順番に字を並べていこうという意識から発したもののようである。しかしもし「水丸宅急便」という会社があるとすると、ここの会社の商標はあくまで「水丸宅急便」というひとつのコンセプト・言葉のブロックとして存在するのであって、決して水と丸と宅と急と便という単なる文字の寄せ集めで成立しているわけではない。だからこれは「水丸宅急便」というマークが一体となって前方に進行していると考えた方が正しい。ロゴ・マークというのはだいたいそういうものである。この前「便急川佐」というトラックが走っているのを見かけたけれど、なんだか下痢気味でどこかに急いでいるみたいでなかなか面白かった。

松味さんのこのパンフレットの例証をもっと引用すると、京都の市バスにはそれぞれ愛称がついていて、その中には、

「かさや」
「ずみよき」
「くかんき」

といったものがあるらしい。これはもちろん「八坂」「清水」「金閣」のことである。こういうのもまあ面白いといってしまえばそれまでなんだけど。

なぜ人々は本を読まなくなったのか

最近昔に比べてめっきり書店に行かなくなったような気がする。どうして書店に行かなくなったかというと、その理由は自分でものを書くようになったことにある。書店で自分の本が並んでいるのはなんとなく気恥ずかしいものだし、並んでいなければいないでこれはまた困ったものである——というようなわけで、すっかり書店から足が遠のいてしまった。

それから家の中に本がたまりすぎたせいもある。まだ読んでいない本が何百冊もストックされているのに、そのうえ屋上屋をかさねるというのもなんだか馬鹿馬鹿《ばかばか》しいような気がする。いまたまっている本の山をすっかり片づけたら書店に行って読みたい本を買い漁《あさ》ろうと思っているのだが、どういうわけかこれがちっとも減らず、かえって増えつづけているような有り様である。『ブレード・ランナー』じゃないけれど、僕も本当に「読書用レプリカ」みたいなのがほしい。そういうのがばりばりと本を読んで、「旦那《だんな》、これ良いですよ、読むべきです」とか、「これ読む必要ないです」とか

彼近頃
とても
つめたいんです
そりゃね
あなた
本読みなさい
「罪と罰」
なんかどうかね

ひと頃読書をすすめる人生相談の回答者がいておかしかった(水丸)

ダイジェストして教えてくれると僕もすごく楽である。べつにレプリカじゃなくたって、バイタリティーにあふれて暇があって本に対する見識を持った人がそばにいればいいんだけど、なかなかそうもいかない。

書店にあまり行かなくなったもうひとつの理由は外国小説の翻訳ものの新刊が目に見えて減ってきたことにある。SFとかミステリーとか冒険小説なんかの翻訳はけっこう多いのだが、この手のものは玉石混淆《こんこう》の度合いが激しくて、さすがの僕も（一時はやたらに読んでいたのだが）最近はあまり手を出さなくなった。こういう類《たぐい》のものをのぞくと、翻訳小説の刊行数はきわめて少ない。「純文学の翻訳ものはまったくといっていいくらい売れないんです」と出版社の人は言うが、いずれにせよ残念なことである。

それから、僕自身の読書時間が大幅に減少したということもある。最近出版社の人に会うとみんな口を揃《そろ》えて「近頃《ちかごろ》の若い人はじっくり腰を据《す》えて本を読まないんですよね」とこぼすし、僕も調子をあわせて「そうですか、それは困ったことですね」なんて言っているのだが、よく考えてみれば僕自身あまり本を読まなくなってしまっているのである。十代の頃に『カラマーゾフの兄弟』と『ジャン・クリストフ』と『戦争と平和』と『静かなるドン』を三回ずつ読んだことを思えばまさに昔日《せきじつ》の感がある。当時はなにしろ本というのは量があればそれだけで嬉《うれ》しくて、『罪と罰』なんてページ数が少なくて物足りないと思っていたくらいのものである。その当時に比べれば——年をとって一冊の本をじっくり読むようになったという事情はあるにしても——読書量は五分の一くらいに減っているような気がする。

どうしてこんなに本を読まなくなったかというと、これはひとえに読書にあてる時間が少なくなったからである。要するに読書以外のアクティビティーにけっこう時間をとられて、そのしわよせで本を読むための時間が減ってしまったわけだ。たとえばランニングに一日一時間半から二時間、音楽を聴くのに二時間、ヴィデオを観《み》るのに二時間、散歩に一時間……なんて考えていくと、じっくり腰を据えて本を読む時間なんて殆《ほとん》ど残らないですよ、これは。まあ仕事柄読むべき本というのは月に何冊かしがみつくようにして読んではいるけれど、そのラインを外れた本となると正直言って最近は皆目読んでいない有り様である。困ったことである。

もっともこういう状況ないしは傾向にはまりこんでしまっているのは決して僕一人だけではないと思う。最近の若い人があまり本を読まなくなったのもやはり読書以外の様々な活動《アクティビティー》に時間や金やエネルギーを大幅にふりわけているせいだろうと僕は推測する。僕の若い頃は——というと話が急におじさんぽくなるけれど——全体的にかなり時間が余っていて、「しようがない、本でも読むか」という気分に比較的なりやすかった。当時はヴィデオもなかったし、レコードも相対的に高くてそれほどは買えなかったし、スポーツも昨今ほど隆盛ではなかった。時代の空気も理屈ぽくて、ある種の本を一定量読んでいないとまわりから馬鹿にされるという風潮もあった。

しかし今では「何それ？　そんなの読んでねえよ、知らねえなあ」ですんなりと通ってしまう。他《ほか》にやることもいっぱいあるし、自己を表現することのできる場所や方法やメディアもいろんな種類のものが揃っている。結局のところ読書というものが突出した神話的メディアであった時代は急速に終息してしまったのである。それは今では並列した各種メディアの中のワン・オブ・ゼムにすぎないのである。

そのような傾向が良いことなのか悪いことなのかは、僕にはわからない。たぶんそれは、大部分の社会現象がそうであるように、良くも悪くもないのだろう。個人的には教養主義的・権威主義的風潮が消えつつあることは——本当に消えつつあるんだろうな——喜ばしく思うし、一人の物書きとしては本があまり読まれなくなったことを残念に思う。しかし残念ではある一方でまた、我々（というのは出版に関《かか》わるもろもろの人々のことです）がその意識と体質を転換し、その新たな地平から新たな種類の良質な読者を得ていくことは可能であろうと思う。いつまで嘆いていても仕方ないのだ。

「酒について」

昔、僕《ぼく》が小説を書きはじめてまだ間がない頃、当時『太陽』の編集長だった嵐山光三郎《あらしやまこうざぶろう》氏に「あー、村上くんね、君はずっとビールばっかり飲んでいるようだが、それはまだ若いからだよ。ある程度トシを取ると、ビールから他の酒へシコーがうつるようになる、うん」と言われたことがある。

「へー、そんなもんですか」とそのときは半信半疑で答えたのだが、たしかにそれから六年あまりたった今、つらつら考えてみると全体の酒量の中でビールが占める割合は少しずつ減少している。

もっと正確に言うと飲むビールの量そのものはあまり変わらないのだけれど、それにプラスしてウイスキーやワインを飲む量が増えたのである。僕は若い頃はそれほど酒を飲む人間ではなかったのだが、もともと胃が丈夫なものだから、齢《とし》をかさねるにつれてまあ人並みか人並みをわずかに越えるくらいには酒を飲むようになった。ひと仕事終えてグラスを傾けるときの気分というのはたしかに人生における小確幸（小さくはあるが確固とした幸せ）のひとつである。外国のことわざに「人生の幸せは三つしかない。前の一杯と、あとの一服である」というのがあるけど、これもなかなか説得力がある。

もっとも僕のまわりを見まわしてみると、年をとって酒量が増えたという人はそれほどはいない。僕と同じ世代の連中の多くは内臓に何かしらの弱味を持っていて、「いや、俺《おれ》そんなに飲めないから」と言って二、三杯でやめてしまう。若いときに酒量が多かった人にこういう例が多い。熱投型のピッチャーが肩を壊すのと同じで、若いときに飲みすぎて内臓が疲弊してしまったわけだ。それに加えて三十代も後半に入ると会社づとめの人間は多かれ少なかれ管理職的な地位に就いていてストレスもあるし、妻子に対する責任もあるしで、わりに健康に気をつかうようになる。人生、好きなだけ酒を飲むことができるうちが華である。

渋谷の駅前なんかでイッキ飲みをやったあとで騒いでいる学生を見かけると、この人たちの半分くらいはあと十五年もたてばポケットに胃薬をしのばせて酒を飲んでいるんだろうなと想像する。そう思うと彼らの嬌声《きようせい》の中にも諸行無常の響きが聴きとれて、なかなか趣のあるものである。

もっとも僕にも学生時代に毎日のように近所の飲み屋で飲んだくれていた時期があ

った。たいていは安い日本酒で、それをガブガブ飲むものだから当然悪酔いした。悪酔いして誰かがつぶれると大学の構内から「米帝打倒」なんていうタテ看をとってきて、それをタンカがわりにして下宿まで運んだ。あれはあれでなかなか役に立つものである。一度だけ運ばれている途中で看板が割れて、椿山荘《ちんざんそう》の横の階段でいやというほど背中を打ったことがあるけれど。

しかしそのような馬鹿騒《ばかさわ》ぎも四カ月ばかりで終わり、それ以来みんなでわいわいと酒を飲むことはまったくといっていいくらいなくなってしまった。要するにつきあいが悪くなったわけだが、そのおかげで僕は僕のその丈夫な胃にますます磨《みが》きをかけつつ今日に至ることができたわけである。何を食べてもおいしいし、悪酔いもしないし、胸やけもしない。実際に見ることができないのは残念だけれど、僕の胃はかなり良い色をして、イルカみたいにつるつるピチピチしているのではないかと推測する。海に放してやるとどこかに泳いでいってしまいそうな気がする。

酒のことに話を戻《もど》すと、僕は今では日本酒というものをほとんど飲まないが、これは学生時代に日本酒で悪酔いをつづけていた後遺症である。その責任は百パーセント僕の側にあって、日本酒側にはない。もし日本酒を飲まないことで裁判にかけられたとしたら僕は一切の自己弁護を放棄してその罪に服する所存である。

それとは逆にビールの国に行けば僕はおそらくＶＩＰ級の賓客として遇されるはずである。個人的消費量だってなかなかのものだし、小説の中でもずいぶん支持し、宣伝してきた。僕の小説を読み終えてすぐに酒屋に走ってビールを買ってきたという人を何人も知っている。小説の質はともかくとして、少なくともある種の効用はあったのだ。

ワインは最近になってずいぶん飲むようになったし、今でも不凍液騒ぎをものともせずしっかりと飲んでいる。もともとはそれほど好きなわけではなかったのだが、何回か誘われて山梨のワイナリーに通っているうちにすっかり好きになってしまった。

とはいっても僕のワインはそれほどスノッブなものではなく、いちばん安いカリフォルニア・ワインを買ってきてペリエで割ってそこにレモンをしぼり、ジュースがわりにガブガブ飲むというかなり無茶苦茶なものである。しかしこれが結構うまい。リチャード・ブローティガンをアル中にしたことで有名なガロのプアボーイ・ボトル（把《と》手《て》のついた大型のやつ）なんかは見た目もワイルドだし、このような目的にはうってつけである。じっくり飲むぶんにはロートシルトの赤なんかが最高だけど、これは一本二万円以上もするのでそうそうは飲めない。

ウイスキーはわりに高いものが好きで、外国に行くたびにシーヴァスとワイルド・ターキーを免税で買ってきて、主《おも》にオン・ザ・ロックで飲む。

ところで僕の住んでいる町のあき瓶《びん》・あき缶《かん》回収日は月に一度しかない。そのときに一カ月かけて飲んだワインやウイスキーやウオツカの瓶やビール缶を指定された場所まで持っていくのだが、これがかなりの量で、両手に袋を持って二往復くらいしなくてはならない。そしてそのたびに捨て方をチェックしている近所の奥さんに「あなたよく飲むわねえ」とあきれられる。毎月毎月そう言われるとわりに辛《つら》いものである。

最近どういうわけか日本酒が大好きになって、昼間からソバ屋でちびちびと飲むということ

が多くなってしまった。水丸氏に言わせると、「村上くん、それは人間的に成長したんだよ」ということになるのだが、本当かなあ?

政治の季節

僕は生まれてこのかた選挙の投票というものを一度もしたことがない。どうしてか？　と訊《き》かれてもひとくちではうまく答えられなくて「さあ、どうしてでしょうね」とお茶を濁すしかないのだが、とにかく投票しない。「そういうのは国民の権利を放棄していることになるんじゃないか」と言われると、「たぶんそうなんだろうな」と思う。しかし投票しない。政治的関心や意見がないわけではないのだが、それでも投票しない。

話によるとギリシャなんかでは選挙に投票することは国民の義務として法律で定められていて、正当な理由なく棄権するともろもろの市民権をハク奪されちゃうこともあるそうだが、日本ではそういうことはないから、投票をせずとも一応人なみに暮らしていくことができる。そのどちらが制度として妥当なのかについてはいろいろと議論があるだろうが、僕は個人的には日本のやりかたの方がいいなと思っている。投票する人あり、投票しない人あり、人さまざまである。僕のまわりにも選挙の投票なんかしないという人はかなりいる。

どうして選挙の投票をしないかという彼ら（僕をふくめて）の理由はだいたい同じである。まず第一に選択肢《せんたくし》の質があまりにも不毛なこと、第二に現在おこなわれている選挙の内容そのものがかなりうさん臭く、信頼感を抱けないことである。とくに我々の世代には例の「ストリート・ファイティング」の経験を持つ人が多いし、終始「選挙なんて欺瞞《ぎまん》だ」とアジられてきたわけだから、年をとって落ちついてもなかなかそうすんなりとは投票所に行けない。政党の縦割りとは無関係に一本どっこでやってきたんだという思いもある。何をやったんだと言われると、何をやったのかほとんど覚えてないですけれど。

もっとも選挙制度そのものを根本的に否定しているわけではないから、何か明確な争点があって、現在の政党縦割りの図式がなければ、我々は投票に行くことになるだろうと思う。しかしこれまでのところ一度としてそういうケースはなかった。よく棄権が多いのは民主主義の衰退だと言う人がいるけれど、僕に言わせればそういうケースを提供することができなかった社会のシステムそのものの中に民主主義衰退の原因がある。たてまえ論で棄権者のみに責任を押しつけるのは筋違いというものだろう。マイナス4とマイナス3のどちらかを選ぶために投票所まで行けっていわれたって、

行かないよ、そんなの。

千葉に住んでいるとき地方選挙があった。僕が庭で猫《ねこ》と遊んでいると近所のボス的おばさんが畑でとれたホーレン草を持ってやってきて、「あのね、このへんはみんななんとかさんに投票することに決めてんだよね」と言った。

僕がよくわからなくて「へえ、そうですか」と言うと、そのおばさんは「なんとかさんに入れとくと道路の整備とかドブ掃除とかよくやってもらえるんだよねえ」と言って、ホーレン草を置いて帰っていった。僕がそれが投票依頼であると気づいたのはしばらくたってからである。そのときはさすがに千葉だなあと感心した。僕はいろんなところに住んだけれど、ホーレン草で投票依頼されるなんてのはちょっと他にない。もちろんホーレン草はおいしく食べて、投票には行かなかった。こっちはちゃんと税金を払ってるんだから、ドブ掃除なんてやってもらって当然である。経験的にいってもなんとか先生に投票するよりは毎日市役所に直接苦情の電話をかけてドブ掃除をやってもらった方が話は早いし、筋だってとおっている。こういうことがあると選挙に行くのがますます嫌《いや》になってしまう。千葉に住むこと自体はけっこう楽しかったんだけど。

しかし僕がこのまま選挙の投票をすることなく一生を終えてしまうかというと、そんなことはまずないと思う。これは単なる僕の直感にすぎないけれど、今世紀中には必ずもう一度重大な政治の季節が巡ってくるんじゃないかという気がするからである。そのときは我々は否《いや》が応でも自らの立場を決定することを迫られることだろう。様々な価値がドラスティックに転換し、「まあなんでも適当に」では済まされなくなってしまうはずである。そうなれば僕だって、あの映画『ビッグ・ウェンズデイ』のラスト・シーンみたいに、投票用紙を手にして投票所に向かうことになるかもしれない。

まあこういうのはただの予測だし、僕のたいていの予測ははずれるから大きなことは言えないけれど、たぶんそういう状況が遠からず到来するんじゃないかという気がしてならないのだ。これはアメリカの一九二〇年代とそれにつづく大恐慌《だいきょうこう》に関する歴史書を読んでいれば肌《はだ》にひしひしと感じられることである。未曾有《みぞう》の繁栄と派手で享楽《きょうらく》的な文化を謳歌《おうか》していた二〇年代のアメリカは一日にして瓦解《がかい》して、そのあとには暗く重い日々と戦争がやってくる。もちろん違ったふたつの時代と社会をかさねあわせることには根本的な無理があるが、その経済的繁栄の底が浅いことや社会のはしゃぎぶり、そして世界的な富の偏在状況を見ていると、二〇年代のアメリカと我々の時代とのあいだにはぞっとするくらい数多くの共通点を見出すことができる。そしてもしあの大恐慌に匹敵するクラッシュ（崩壊）がやってきたとしたら、当時のアメリカと同じように現在の放漫な文化の周辺に寄食し生息している人士のおおかたは——あるいは僕もその一人なのかもしれないけれど——あとかたもなくどこかに吹きとばされてしまうことは目に見えている。

僕がこういうことを言ってもあまり説得力はないかもしれないけれど、我々はそろそろそのようなクラッシュ＝価値崩壊に備えて自らの洗いなおしにかかるべき時期に至っているのかもしれない。

めまい

僕は高いところというのがまったく駄目《だめ》である。「ここから落ちたらたぶん死んじゃうだろうな」というような場所に行くと腰のあたりがじーんとして、もう一歩も動けなくなってしまう。

それに比べるとうちのつれあいは高いところが飯よりも好きで、一緒に旅行に出たりすると必ず高いところに上ってぴょんぴょんはねたり片足立ちをしたりして楽しんでいる。ああいう神経は僕には理解できない。単なる嫌がらせとしか思えないからである。

もっとも高い場所ならどんなところでも怖いかというとそういうわけではなく、山とか崖《がけ》とかいった自然にできた高所は同じ高さでもビルとか塔なんかの上に立つことに比べるとそれほど——といってもあくまで相対的にだけれど——怖くはない。いちばん怖いのは何といってもそういう人工的に作りあげられた高所である。

僕の本の表紙の絵をよく描《か》いていただいている佐々木マキさんのお宅も高層マンシ

ヨンの九階か十階にあって、僕はここにいくのがとても怖い。エレベーターを出てから素どおしの外階段を一階ぶん下りなくてはならないからである。内側の壁に手をあてて一歩一歩階段を下りているといつも担当の女性編集者に「村上さん、何やってるんですか？」と白い目で見られることになる。はたから見ているとたしかに「何やってんだろう？」ということになるのだろうが、いずれにせよ恐怖を感じない人に恐怖の質を説明するのは至難の業である。僕だって残酷映画が嫌《きら》いな人にわざわざその手のヴィデオを見せて、「おらおら、電気のこぎりで手首がとんだよ」なんて言ってるからあまり他人《ひと》のことは言えないけれど。
　これまででいちばん怖かったのはウィーンの聖シュテファン寺院の上である。そのときも僕

はぜんぜんそんなところに上る気はなかったのだけれど、つれあいが「いいじゃない、怖くないわよ、上ろうよ。人間は一歩ずつでも進歩しなくっちゃ」としつこく説得するものだから、「まあいいか」とついその気になってエレベーターに乗ってしまった。ケルンのカセドラルを上ったときは階段だったから途中で怖くなって引き返せたのだけれど、エレベーターだとそうはいかない。エレベーターを出るとそこはもう吹きさらしの切りたった屋根の上である。おまけに一度下に降りてしまったエレベーターは次の客が来るまで上ってはこない。もちろん屋根づたいに金網のフェンスははってあるのだけれど、そんなもの僕としてはまったく信頼できないし、冬の凍《い》てつく風がびゅうびゅう吹きまくるしで、まったく生きた心地がしなかった。あんな怖い思いをするくらいならもう人間進歩なんてしなくてもいいと思う。考えてみれば恐怖だって財産のひとつである。恐怖を感じないから偉い、感じるから駄目と一面的に断定できる種類のものではないのだ。

しかしそれはともかくとして、ヨーロッパの古い建築物にはかなり怖いものが多い。とくにカセドラルは天に届けとばかりに鋭角的にそびえたっているから、実際に上にのぼってみると生半可な高層ビルの屋上なんかよりはずっと迫力があるし、恐怖の質も深い。比較文化論をやるわけではないけれど、聖シュテファン寺院の屋根の上で感じる高所恐怖は日本やアメリカで感じる高所恐怖とはかなり質を異にしたものであるように僕には思える。こういう微妙な違いも高所恐怖症でない人にはおそらく感じとることができないはずである。僕だって暇があればいろいろと世界の高所をまわって「高所恐怖の視点から見た高所文化論」というようなものを書いてみたいくらいのものである。こういうものはまず間違いなく高所恐怖症の人にしか書けない。

ときどきどうして世の中には高所恐怖症の人とそうでない人が存在するのだろうと深く考えてみることがあるが、どうもよくわからない。どれだけ考えても幼児期に高いところに上って怖い思いをしたという覚えはないし、かといって高所恐怖症が血統的に遺伝するとも思えない。あるいはフロイトが言う「抑圧された心的トラブルの象徴的表現」というような心あたりもない。だとすれば僕はいったいいつから、どのようにして高所恐怖症という病にとりつかれてしまったのだろうか？

とするとこれはもう「恐怖の選択というのは無作為なものだ」と考えるしかなくなってくる。つまり人間にはひとつかふたつはいわば精神の安全弁としての恐怖が必要なのであって、結局のところその対象はなんだっていいのだ——ということである。僕の場合はそれがたまたま高所恐怖症であったわけだ。中には閉所恐怖を選んだ人もあるだろうし、尖端《せんたん》恐怖を選んだ人もあるだろうし、暗闇《くらやみ》恐怖を選んだ人もあるだろう。あるいは運悪く全部を選んじゃった人だっているかもしれない。『レイダース』のあの恐怖を知らぬインディアナ・ジョーンズ氏だって蛇《へび》だけはどうしても我慢できなかったではないか？　要するに恐怖というものは人間にとって欠くべからざるファクターなのだし、それが理不尽であればあるほどその有効性は大きいはずだと僕は思う。

だいたい宇宙の暗闇の中にぽつんと浮かんだ岩塊にへばりつくようにして不安定な生を送っている人間存在が何の恐怖も感じないという状況の方が僕にとっては恐怖である。

ピサの斜塔にも三階までしか上れなかったです。あれは怖い。

植字工悲話

この連載を始めてからもう八カ月めになる。「締め切りのある人生は速く流れる」というのはあるアメリカのジャーナリストの言葉だが、まったく御説のとおりである。ウンチクを傾けるみたいで申しわけないが、英語では締め切りのことを「デッドライン」と言う。デッドラインという言葉にはこの他《ほか》にも「死線・囚人がこれを越えると銃殺される」（研究社リーダーズ英和辞典）という意味もあって、これは日本語の「締め切り」よりはずっと語感が切実である。恐いですね。

もっとも締め切りというのは作家の側ばかりではなく、相手の編集者にとっても文字どおりのデッドラインなのであって、編集者と話しているとよくこの締め切りのことが話題になる。（1）締め切りに遅れる（2）悪筆（3）生意気というのは作家が編集者を泣かせる三大要素と言っても差し支《つか》えないだろう。僕《ぼく》は（3）に関してはかなり心覚えがあるが、（1）と（2）についてはまず潔白である。締め切りは大体ちゃんと守るし、字はとびっきり読みやすい。だから締め切りに遅れがちな作家や悪筆の作家についての愚痴なんかは他人事として笑って聞き流せるし、「うーん、それはひどい」なんて適当に編集者に同情しちゃったりもする。それにだいたい遅筆・悪筆というのは才能や人格とは（おそらく）無縁の性向・傾向だから噂話《うわさばなし》としても比較的カラッとして明るい。

編集者の話によると大御所的な作家になると中には締め切りの四、五日前に編集部に電話をかけてきて「あー、君、今回の連載は休みだ！」と言ったきりがちゃんと電話を切っちゃう人もいるらしい。そうなると雑誌はもうてんやわんやの騒ぎになってしまう。面白《おもしろ》いといえば面白そうだけど、僕なんかがそんなことしたら即刻どこかの原っぱにひきずり出されて銃殺されてしまうことだろう。五分後に電話をかけて「今の嘘《うそ》、ウソ。ちゃんと原稿できてますから」なんて言っても二度と仕事はまわって来るまい。

そこまでひどくなくても編集者が作家の家に泊まりこんだり、受けとった原稿を猛スピードで車を走らせてやっとデッドラインの一時間前に印刷所に放りこんだなんていう類《たぐい》の話はよく耳にする。「もう××さんには参っちゃうんだから」と編集者はグチるけれど、僕なんかが聞いていると編集者の方もけっこうそういうデッドライン・ゲームを楽しんでいるのではあるまいかという気がしなくもない。これでもし世間の

作家がみんなピタッと締め切りの三日前に原稿をあげてしまうようになったら――そんなことは惑星直列とハレー彗星《すいせい》がかさなるほどの確率でしか起こり得ないわけだが――編集者の方々はおそらくどこかのバーに集まって「最近の作家は気骨がない。昔は良かった」なんて愚痴を言っているはずである。これはもう首をかけてもいいくらいはっきりしている。

作家の中にもそういう考え方をする人はけっこういて、まだ最初の小説を書いたばかりの頃《ころ》、僕が二、三日後に迫った締め切りのことを気にしていると「おいおい、原稿なんてものは締め切りが来てから書き始めりゃいいんだよ」と忠告してくれた。編集部というのは必ず何日かサバをよんで早めに締め切りを設定するからその人の言い分にも一理はあるのだろうが、僕は性格的にどうもそれができない。締め切りの三日くらい前には仕上げてトントントンと原稿用紙の角を揃《そろ》えて机の上に積んでおかないとなんとなく落ちつかないのである。

それからクール・オフ効果というのもある。書いてすぐ原稿を渡してしまうとときどきあとで「しまった、あんなこと書かなきゃよかった」とか、逆に「そうだ、こう書きゃよかったんだ」と後悔することがあるが、三日くらいタイム・ラグがあるとそういうリスクを回避することができる。余程のベテランでもない限り筆というのはついつい滑ってしまうものなのだ。たった三日の余裕を作るだけで無意味に他人に迷惑をかけたり傷つけたり無用の恥をかくことを避けることができるとしたら、それくらい簡単なことである。

次にギリギリの線まで遅れると印刷所の人に迷惑をかけるということもある。僕は高校時代に新聞を作っていてしょっちゅう印刷所に出入りしていたからわかるのだけれど、印刷所のおじさんというのは誰《だれ》かの原稿が遅れたりすると徹夜をして活字を拾わなくてはならない。気の毒である。印刷屋の植字工の家では奥さんがテーブルに夕食を並べてお父さんの帰りを待っているかもしれないのである。

「父ちゃんまだ帰ってこないね」なんて小学生の子供が言うと、お母さんは「父ちゃんはね、ムラカミ・ハルキっていう人の原稿が遅れたんで、お仕事が遅くなって、それでお家に帰れないんだよ」と説明する。

「ふうん、ムラカミ・ハルキって悪いやつなんだね」

「そうだねえ。きっとロクでもない半端《はんぱ》な小説書いて世の中をだまくらかしてるんだろうね」

「母ちゃん、俺《おれ》さ、大きくなったらそんな悪い奴《やつ》ぶん殴ってやるんだ」

「これこれ」

なんていう会話を想像すると僕はついついいたたまれなくなってすぐ原稿を書いてしまうのである。あるいは僕は想像力（というか妄想《もうそう》力ですね、これは）が発達しすぎているのかもしれない。いずれにせよ僕はたしかに（3）生意気な人間かもしれないけれど、植字工の妻子に憎まれるような可能性だけは一応排除しておきたいと考えているのである。

読書用飛行機

何回か前のコラムで最近あまり本を読まなくなったという文章を書いたばかりでこういうことを書くのはどうも気がひけてならないのだが、この一カ月ばかりでけっこう沢山本を読んだ。日常的に文章を書いているとこの手のことはよく起こる。「煙草《たばこ》をやめて二年、体の具合がとても良い」と書いたとたんに煙草をまた吸いはじめちゃったり、「ネクタイをしめることは年に二、三回しかない」と書いた直後にたてつづけに三回もネクタイをしめる羽目になったり、といったようなことである。良い加減といえば良い加減だけど、まあ世の中そういうものである。

どうして急に本を読みはじめたかというと、この一カ月ばかり電車やら飛行機やらに乗る機会がわりに多かったからである。要するに移動が多いと僕はよく本が読めるのだ。

まず南まわり飛行機で東京＝アテネ間を往復したので（片道約二十時間）、このあいだに三冊本を読んだ。ジョン・アーヴィングの『Water-method Man』とドクトロ

ウの『ダニエル書』とジョン・ゴアーズの『ハメット』である。南まわりヨーロッパ行きの飛行機は身も心も胃袋もかなりくたくたになるが、少なくとも本だけはよく読める。

『Water-method Man』は三年か四年前に読んでどうもピンとこなかったのだが、今読みかえしてみると最初読んだときよりずっと面白かった。『ガープの世界』ほど完成度は高くないけれど風俗小説を切りきざんだような独特のワイルドな面白みがあってけっこう読みこめる。僕の個人的な基準でいうと、二回め読んだ時の方が一回めより面白いというのは良い小説である。もっとも二回読もうという気になる小説はそんなに沢山ないから、もう一回読んでみようという気になるだけで既に十分なのかもしれないけど。

ドクトロウの『ダニエル書』も『Water-method Man』と同じように時間が前に行ったりうしろに行ったりする小説である。だから慣れないうちはポイントがつかみづらいけれど、一度ポイントをつかまえると体が小説の時間性に自然に感応してすらすらと楽しく読めるようになる。読みごたえのある小説である。

ゴアーズの『ハメット』は、それ風の雰囲気《ふんいき》がよく出ていて楽しかったが、実在の人物を主人公に設定しているぶん、いささか枠組《わくぐ》みが透けて見えるきらいがあるような気がした。

飛行機で読書癖がついたらしく帰国してからも仕事のあいまをみつけてピンチョンの『競売ナンバー49の叫び』を読んだ。これまで何度も英語で読もうと試みては挫折《ざせつ》してきた小説であるだけに、翻訳が出たことは僕にとっては大きな喜びである。もちろんピンチョンの小説だからすらすら読めて楽しくて……とはいかないけれど、これくらいおかしな小説はちょっと他にないので、興味のある方は是非読んでみて下さい。

次にジョン・アーヴィングの新作（あいかわらずやたら長い小説）『THE CIDER-HOUSE RULES』の後半を読了。この小説の感想はとてもひとくちでは言えないのでパス。

それからスパゲティー小説を三冊。クラムリーの『ダンシング・ベア』とリチャード・コンドンの『女と男の名誉』(タイトルの意味は不明)とマイケル・Z・リューインの『沈黙のセールスマン』である。スパゲティー小説というのは僕の造語で、スパゲティーをゆでながら読むのに適した小説という意味である。もちろん見下して言っているわけではなくて、スパゲティーをゆでながらもつい手にとってしまう小説と解釈していただきたい。三冊のうちでは『女と男の名誉』がとぼけた味があっていちばん面白かったように思う。

次に読むようにと人に勧められていた龍膽寺雄《りゅうたんじゆう》全集を三冊ばかり読む。僕は日本の小説をあまり読まないので龍膽寺雄という人が文学史的にどのような位置にいるのかはよくわからないが、全体的に楽しく読めたし、いくつか気に入った作品もあった。しかし森田芳光の『それから』を観《み》て以来、戦前の日本の小説の主人公はみんな松田優作みたいに思えてしまう。本を読んでいるとほとんど自動的に松田優作の顔が浮かんでくるのだ。困ったことである。映画はとても面白かったけれど。

もう一冊、著者である鈴村和成氏から送っていただいた『未《いま》だ/既に・村上春樹と「ハードボイルド・ワンダーランド」』という本も読んだが、これはタイトルからもわかるように僕についての評論の本なので感想は書かない。しかし自分について書かれたものを読むというのはなんだか『鏡の国のアリス』になったような気がするものである。たぶん僕と村上春樹氏は鏡を隔てた異なった世界に同時存在しているのだろうと思う。だから僕は読者とたまに会って話をするたびに、いつも誰かの身がわりをしているような気がしてならないのだ。

一方僕のつれあいはこの間に三冊の本を読んだ。アリス・ウォーカーの『紫のふるえ』とヘンリエット・フォン・シーラッハシュミット（長い名前だな）の『ヒットラーをめぐる女性たち』とキティー・ハートの『アウシュヴィッツの少女』である。彼女がいったいどのような趣味と目的で本を選んでいるのかいまだもって僕にはよくわからない。ひとくちに夫婦といっても、そのあいだに横たわる溝《みぞ》は暗く深いのである。

しかしいずれにせよ僕の読む本の領域とつれあいの読む本の領域はほとんどクロスしないので、（辛《かろ》うじてラヴクラフトあたりが両方の領域にかかっている）、お互いが好き勝手に本を買って我が家の本の数は増える一方である。なんとかしてほしいと思うけれど、たぶんなんともならないだろう。

グッド・ハウスキーピング

結婚して二年目くらいのことだったと思うけれど、僕は半年くらい「主夫＝ハウスハズバンド」をやっていたことがある。そのときはなんということもなくごく普通に毎日を送っていたのだが、今になってみるとあの半年は僕の人生の最良の一ページであったような気がする。

もっともその当時はとくに「主夫」をやろうと志していたわけではなく、たまたまちょっとしためぐりあわせで、女房が仕事に出て僕が家に残ることになったのだ。もうかれこれ十二、三年前、ジョン・レノンが「主夫」をやって話題になる以前の話である。

「主夫」の日常は「主婦」の日常と同じくらい平穏である。まず朝七時に起きて食事を作り、女房を仕事に送りだし、かたづけものをする。流しの中にある食器はすぐに洗ってしまうというのが家事の鉄則のひとつである。それから普通なら新聞を読むか、TVを観るか、ラジオをつけるかというところだが、僕はそういうことはやらない。

何故《なぜ》ならその当時我々は無形文化財的に貧乏で、ラジオもTVも買えず、新聞をとる金さえなかったからだ。だから家の中には何もない。金がないと生活というのはおどろくくらいどシンプルになる。世の中には「シンプル・ライフ」というブランドの洋服があるが「シンプル・ライフ」のことなら僕の方がずっと詳しい。

朝食のかたづけが済むと洗濯《せんたく》をする。とはいっても洗濯機がないから、風呂場《ふろば》でぐしゃぐしゃと足で踏んで洗っちゃうわけである。これは時間はかかるけれど、なかなか良い運動になる。そして干す。

洗濯が終わると食事の買い物に行く。買い物とはいっても冷蔵庫がないから（それにしても貧乏だなあ）余分なものは買えない。その日使うものだけを余りの出ないように買うわけだ。だからその日の夕食が大根の味噌《みそ》汁《しる》と大根の煮物としらすおろしなんていう状況もかなりの頻度《ひんど》で現出し得るわけである。こういうのを「シンプル・ライフ」と呼ばずしていったい何と呼べばいいのだろう?

買い物のついでに「国分寺書店」に寄って本を売ったり、安い古本を買ったりした。それから家にかえって簡単に昼食をとり、アイロンをかけ、ざっと掃除をし（僕は掃除が苦手なのであまり丁寧にはやらない）、夕方まで縁側に座って猫《ねこ》と遊んだり本を読んだりしてのんびりと過ごす。なにしろ暇なものだから、僕はこの時期だけで、

「講談社・少年少女世界名作全集」を読破したし、『細雪《ささめゆき》』なんて三回も読んだ。

あたりが暗くなってくるとそろそろ夕食の仕度である。米を洗って炊《た》き、味噌汁を作り、煮ものを作り、魚を焼く用意をして女房が仕事から帰ってくるのを待つ。帰ってくるのはだいたい七時前だが、ときどき残業なんかで遅くなることもある。でも——今更ことわるまでもないだろうが——うちには電話がないので、連絡はつかない。だから僕は魚を網の上にのせたまま、女房の帰りを、

「……」

というかんじでじっと待っているわけである。

この、

「……」

というのはたぶん日常的に経験したことのないかたにはわからないだろうけれど、かなり微妙な種類の感興である。「今日は遅くなりそうだから先に食っちゃおうかな」とも思うのだが、「まあせっかくだからもう少し待ってみようか」とも思うし、「でも腹減ったね」とも思う。こういういろんな思いが集約されて、

「……」

という沈黙になるのである。だから「あ、ごめん、食べてきちゃった」なんて言われるとやはり頭に来る。

それからこれは奇妙といえば奇妙だし、奇妙じゃないといえばそれほど奇妙ではないのかもしれないけど、自分の作った料理をテーブルに並べる段になると僕はどうしてもうまくできなかったり型崩れした方を自分の皿《さら》に盛りわけてしまう。魚だと頭の方を相手の皿にのせ、自分はしっぽの方をとる。これはべつに自分を主夫として卑下しているわけではなく、ただ単に相手に少しでも喜んでもらいたいと思う料理人の習性であろうと僕は解釈している。

こうしてみると世間一般で「主婦的」と考えられている属性のうちの多くのものは決して「女性的」ということと同義ではないように僕には思える。つまり女の人が年

をとる過程でごく自然に主婦的な属性を身につけていくわけではなく、それはただ単に「主婦」という役割から生じている傾向・性向にすぎないのではないかということである。だから男が主婦の役割をひきうければ、彼は当然のことながら多かれ少なかれ「主婦的」になっていくはずである。

僕個人の経験から言うと、世の中の男性は一生のうちでせめて半年か一年くらいは「主夫」をやってみるべきではないかという気がする。そして短期間なりとも主婦的な傾向を身につけ、主婦的な目で世界を見てみるべきではないかと思う。そうすれば現在社会でまかりとおっている通念の多くのものがいかに不確実な基盤の上に成立しているかというのがよくわかるはずである。

僕もできることならもう一度のんびりと心ゆくまで主夫生活を送ってみたいと思うのだけれど、女房がなかなか働きに出てくれないのでそうもいかず困っている。

山口下田丸くんのこと

先日山口昌弘《やまぐちまさひろ》がやってきて、「ねえ、ハルキさん、僕のペンネームをひとつ考えてくれませんかねえ」と言った。

まあ突然「山口昌弘」という名前を出しても読者の大半はそれが誰なのかまるでおわかりにならないだろうから一応説明しておくと、山口昌弘は今を去る十年前に僕《ぼく》の経営していたジャズ喫茶でアルバイトをしていた男である。当時は武蔵野《むさしの》美術大学の学生だったのだが、ほとんど役に立たなかったので弱ったなと思っていたら、途中からなんとなくいなくなってしまった。まあそういう男なのだが、広告関係のプロデュースの会社に入って安西水丸さんの本を作ったりしているせいで、今でもちょくちょくと会って酒を飲んだりしている。奥さんはなかなかの美人で、安西水丸さんは僕に会うたびに「山口にはもったいない」と言うし、僕もそう思う。

それである日、山口昌弘の家に遊びにいって山口が席を外したすきに奥さんに「ねえ、あんなのと結婚してさ、後悔してるでしょ?」と訊《たず》ねると、「いいえ、山口さん

と結婚できて本当に幸せです」と言われた。まあ他人の家庭のことだから何だっていいようなものだけれど、人にはいろんな好みがある。

そこで山口の会社で働いている女の子の何人かをつかまえて、「ねえ、山口ってバカでしょ?」と質問すると、「ううん、山口さんって会社ではすごくきりっとして、無口で、私たちあの人の前に出るとキンチョーするくらい」という答えがかえってくる。「それは頭が足りなくて顔がこわばってるだけだよ」と僕が言うと、「村上さん、山口さんに偏見持ちすぎてるんじゃないかしら」とまで言われた。

ここまで言われると、僕としても「ひょっとして僕は山口昌弘という人間を誤解していたのではないか」と不安になってしまう。山口本人も「ハルキさんは僕のことを誤解してるんですよね」と広言してはばからない。そこで先日ためしに山口昌弘に引っ越しを手伝ってもらったのだが、やはりぜんぜん役に立たなかった。十年前とちっとも変わっていない。そしてやはり僕の判断が間違っていなかったことが証明された。しかしもちろん山口昌弘は悪い男ではない。悪い男は美人の奥さんに深く愛されたり、同僚の女の子にかばわれたりはしない。

説明がかなり長くなってしまったけれど、その山口が僕のところにやってきて、ペンネームを考えてくれと言ったのである。

「あのさ、俺、イラストレーターになろうかなと思って水丸さんのところに絵を持ってったんですよね。そしたら水丸さんがその絵見て、おい山口、止《よ》した方がいいって言うんですよ」

「わかるなあ」

「嫉妬《しっと》じゃないですよね？」

「違うと思うけど」

「まあそれでですね、へへへ、俺ちょっと文章書こうかなって思うんです。書いてみろっていう人がいましてね」

「いいじゃない」

「それでですね、山口昌弘っつうんじゃちょっとニュー・アカみたいでカッコ良くないから、この際ハルキさんにひとつペンネームを考えてもらおうかななんて思っちゃって。良いの考えてもらったら、キャバクラかなんかにばあっと御招待しますから」

キャバクラはともかく、僕は他人のペンネームを考えるのはわりに好きである。

「お前、下田の生まれだよね？」

「ええ、そうです。下田です」

「山口下田丸でいいじゃないか」

「なんか漁船みたいですね。あのさ、そういうんじゃなくて、たとえば島田雅彦とか沢木耕太郎とか、その手の見映えのいいの作ってくれませんかね」

「山口伊豆七ってのはどう？」

「なんか頭の悪い岡《おか》っ引《ぴ》きみたいだなあ。ハルキさん、なんか俺に偏見持ってんじゃないんですか？」

というわけで、山口昌弘はがっかりして帰っていった。キャバクラの話もそれっきりである。

しかし僕は山口下田丸という名前がけっこう気に入っていて、それ以来ずっと山口昌弘のことを「下田丸」と呼び捨てにしている。そのせいか本人もだんだんその「下田丸」という名前になじんできたみたいである。名前のせいで、僕も山口昌弘時代の山口よりは山口下田丸襲名後の山口の方にずっと好感を抱いている。

僕は思うのだけれど、人はいつもペンネームとか店の名前をつけようとするときに、つい格好良い名前を選んでしまうようである。僕は逆にそういうときいつも無骨な名前を選んでしまうので、僕の提案した名前は常に却下されることになる。たとえばこの前知りあいがバーを開くので店名を考えてくれと言うから「大砂漠」というのを提案したら即座に却下された。

「あのね、〈大砂漠〉なんていうバーにいったい誰が入ってくるんですか?」

「でもさ、俺なら入っちゃうね。中がどうなっているのかちょっと見てみたいもの」

「そんなこと考えるのハルキさんくらいですよ」

というわけで青山・麻布方面には格好良い名前のバーがあふれている。くどいようだけれど、もし〈大砂漠〉という洒落《しゃれ》た構えのバーがあったら僕はすぐに入っちゃうんだけど。

バビロン再訪

いろんな事情で藤沢《ふじさわ》の家を出なくてはならない羽目になり、また東京に戻《もど》ってきた。四カ月ばかりの都心のマンション暮らしである。どういうわけか安西水丸さんの家の近くで、「じゃ、いい機会だから二人でいろいろ悪いことしようよ」と水丸さんに誘われるし、『小説現代』の宮田編集長には「ま、いろいろと教えてあげますよ、ふふふ」と言われるしで、僕もいろいろと大変である。このぶんでいくと四カ月で人格が変わってしまうかもしれない。藤沢から突然都心にやってくると、なんかもう「魔宮の伝説」という感じがしてしまう。

考えてみれば東京に住むのはかれこれ五年ぶりである。この前東京に住んでいたときは店をやりながら『風の歌を聴け』『一九七三年のピンボール』という二冊の小説を書いて、それで身も心もくたくたになってしまった。それから千葉に移って『羊をめぐる冒険』という三つめの長編を書いた。そのまま東京に住んでいると、じっくり腰を据《す》えて小説が書けなくなってしまうような気がしたからである。店はけっこう繁盛していたし、「べつに店をたたまなくったって、そのまま誰《だれ》かにまかせて自分はのんびりと小説を書いていれば」といろんな人に忠告されたけれど、僕はどうせやるからには隅《すみ》から隅までできちっと自分で押さえておかないと我慢できない不便な性格なので、結局店の権利を売って千葉の田舎に引っこみ筆一本で食っていく決心をした。だから東京を離れるにあたって僕には僕なりの思いがあったし、その当時は「もう東京になんか戻るものか」と思っていた。その騒がしさとテンションの高さとうわっつらのけばけばしさにかなりうんざりしていたのである。

でも今にして思うと、東京で店をやりながら寸暇を惜しんで小説を書いていた時代もそれなりにけっこう楽しかった。

たしかクレイグ・トーマスだったと思うけれど（『ファイア・フォックス』を書いた作家）、彼がある小説のあとがきの中で「多くの処女作は夜中に台所のテーブルで書かれる」といったようなことを書いていた。要するに最初から専業作家という人はいないから、みんな仕事を終えて家に帰ってきて、家人が寝しずまってから夜中の台所のテーブルに向かって小説をコツコツと書きつづるわけである。もちろん書斎のようなものがあればそこで書けばいいわけなのだけれど、夜中に苦労して小説を書こうなんて思う人はだいたいにおいてそれほど生活的余裕はないから、どうしても台所の

テーブルが仕事場になってしまうのだ。
そう言われてみれば、僕の最初の二冊の小説もたしかに「キッチン・テーブル小説」である。一日働いて店を閉め、テンションをしずめるためにビールを一、二本飲んで、それからアパートの台所のテーブルに座って小説を書いた。
そういう小説を今読みかえしてみると、小説の構成がかなりぶつぶつに分断されていることがわかる。一日に一、二時間しか書く時間がないから、そろそろ気分が乗ってくるかなというあたりで「今日はここまで」とちょん切られてしまうわけである。で、そのつづきを翌日書こうとしても「あれ、何を書いてたっけな」ということになってしまう。だから結果的にはその作品は小説というよりは小説的フラグメント（断片）の寄せあつめみたいな感じで出来上がってしまった。最初の小説を出したとき一部の人から「斬新だ・クールだ」という好意的な評を受けたけれど、これはもうひとえに生活環境のなせるわざである。もう少し極端に言うなら都会でサーバイブする人間の時間性のすきまからしぼり出された小説である。

でも僕は自分ではそういう書き方やそういう作品に今ひとつ納得できなかったので、決心して東京を離れることになった。それが五年前である。

久しぶりに東京に戻ってきてみると、東京の時間性が五年前に比べてもっとスピーディーになり、もっと細分化されていることがよくわかる。車の数も多くなったし、ビルの数も増えたし、地下鉄の路線も増えたし、空気は汚くなったし、いたるところにバーやレストランが見受けられるし、書店には見たこともない新雑誌があふれているし、竹下通りはまともな神経を持った人間には歩ききることのできないヒステリックな道路に変貌《へんぼう》してしまっている。五年前に最先端であったものは今ではすっかり古ぼけて見えるし、昔よく通った店も今では大半が代がわりしている。そしてとにかく音がうるさい。

こんな風に感じるのは、たぶん僕が年をとってしまったからだろうと思う。そんなネガティブなファクターのひとつひとつが、昔であればあるいは僕の心をひきつけたのかもしれないとも思う。台所のテーブルで、真夜中に缶《かん》ビールを傾けながら小説を書いていた時代をなつかしいとも思う。でもすべては過ぎ去ってしまったことであって、もうもとには戻らない。

先日真夜中に近所を散歩していて、新宿の方向を見たら、その街の上空だけがまるで火事か何かみたいに煌々《こうこう》と照りかがやいていた。ネオンや街の灯《あか》りが雲に反射しているわけである。そういうのを見ていると、「あの金色の雲の下で今いったい何が行われているのだろう」とふと思ってしまう。

いったい何が行われているのだろう?

13日の仏滅

昔、一時占いに凝っていたことがある。もちろん凝ったといってもアマチュアの遊びのようなものだが、それでも夜中なんかにぐっと意識を集中すると軽いトランス状態になって、そういうときには自分でもびっくりするくらいいろんなことがよく当った。たとえばある女性を占っていると、その恋人の年齢や出身地や兄弟の数なんかがわりにすらすらと出てくるわけである。

しかし一度これをやるともうぐったりと疲れてしまうし、友だち相手にやっているから謝礼をもらえるわけでもないので、いつの間にかやめてしまった。

こういうのを超自然能力と見るか見ないかは意見のわかれるところだが、僕はどちらかといえばこれは一種の「勘」のようなものではなかったかと今では思っている。べつに占いをやらなくたってよく注意して人と接していると、相手のそぶりや口調やちょっとした雰囲気《ふんいき》なんかでいろんなことが推察できるものだし、トランス状態を作り出せばそういう「勘」はもっと研《と》ぎすまされ、その領域はもっと拡大されていく。

「トランス状態」というのはいささかおこがましいかもしれないけれど、長い小説を書いているときどきふっと頭が飛んで、それに似た状態になることはある。いわゆる「ライティング・ハイ」だけど、これもべつに超自然現象ではなく、ただ単に「勘」の拡大である。そういう状態になったときに部屋の中を灰皿や消しゴムが飛びまわるというようなことが起こると僕の書くものにももっと凄味《すごみ》が出てくるんだろうけれど、幸か不幸かそういうことはまだ一度もない。

個人的には僕は占いというものを相手にしない。縁起とかジンクスといったようなものもかつがない。信じないというのではなく、原則的に相手にしないことにしているのである。これは僕と自動車の関係に似ている。その有効性をある程度は認めるけれど、個人的にはそんなものは不必要だと考えている——ということである。

占いや縁起というのは一度気にしだすとずっと気になるものだし、何かひとつ気にするとその領域はどんどん広がっていくものである。僕は性格的にそういう負《ふ》のエスカレーションが我慢できないので、多少縁起が悪くてもやろうと思ったことはやるし、やりたくないことはやらない。これは性格の強い弱いの問題ではなく、ものの考え方の問題であると思う。

たとえば僕は結婚するときに占師に「これはまたひどい組み合わせですね」と言われたけれど、ちっとも気にせずに結婚した。結婚してみてから本当にひどい組み合わせだということが判明したわけだが、「まあ、いいや」とあきらめて十五年近く一緒にいる。本当にひどい組み合わせというのは案外うまく機能するものなのかもしれない。

それから僕はしょっちゅう引っ越しをするけれど、そのたびに占いに凝っている知人から「それはよした方がいい。それは方角的に最悪だから」と言われる。その人の話によると、僕にはどうも最悪の時期に最悪の方角に引っ越し先をみつける特殊な能力が備わっているらしい。

「今そこに引っ越すとひどいことが起こりますよ。病人が出るし、仕事はうまくいかないし、親が死ぬし、火事にあいます。中曾根《なかそね》首相も三選されます（というのは嘘《うそ》）。あと二カ月待ちなさい。二カ月たったらみんなうまく行くから」とその人はいう。

でも僕は二カ月なんて待たずにすぐ引っ越してしまう。一度そういうことで譲歩すると、この先同じようなことがまた起こって、二カ月が半年になり、一年になることが目に見えているからである。そういうのに一度負けると、結局いつまでも負けつづけることになる。だから「ああ、いいよ。なんだって好きにしてくれて」という感じで堂々とつっきってしまう。このようなアグレッシブな姿勢がある限り、まず運勢なんかには負けない。そのうちに知人もあきらめて、僕の引っ越しには一切口を出さなくなった。

こういう性格はずっと昔からのもので、高校生のころ、母親が大学受験のために神社で買ってきた（というかいただいてきた）破魔矢をふたつに折って捨てたことがある。そんなことをしたらどうなるものなのか見届けてみたかったからである。それに破魔矢一本を折ったくらいで大学に落ちるんなら、べつに大学なんかどうだっていいやという思いもあった。なんというか、捨てばちな実証精神である。結果から言うと、僕は国立大学を落っこちて私立大学をふたつパスした。まあ「痛みわけ」というところである。親は「私立は金がかかるなあ」とブツブツ文句を言ってたし、それについては悪かったなとも思うのだけれど、実際問題としては国立大学に行かなかったことで、その後何か不利益がもたらされたというような覚えはない。あったのかもしれないけれど、まったく気がつかなかった。

占いを信じる信じない、縁起をかつぐかつがないというのは人それぞれの好きずきであって、他人がどうこういう問題でもないのだが、僕は個人的にはあえて仏滅に結婚式をあげるようなタイプの人々を好んでいる。「仏滅だろうが何だろうが俺《おれ》たちはうまくやるんだ」という信念があれば何だってうまく行くはずだ——という気がする。責任は持てませんけど。

日記とか、そういうものについて

日記といえば新年からとなんとなく相場が決まっちゃってるみたいだし、この正月から「さあ、今年こそは」という意気ごみで日記をつけはじめた方も数多くいらっしゃるであろうと推測する。

しかしなんだか水をさすみたいで申しわけないけれど、僕《ぼく》の経験から言うと、正月からつけはじめた日記というのはまず長くつづかない。それよりは六月十三日にふと思いついてつけはじめた日記の方が意外に長くつづいたりする。どうしてそうなるのかは僕にもよくわからない。あるいは正月から日記をつけようとする人の気持ちの中には「正月」というイヴェント性にもたれかかったイージーさがあって、それでうまくいかないのかもしれない。

僕はだいたいが筆不精な方で、大学を出てから二十九になって小説を書きはじめるまで文章なんてほとんど書いたこともなかったのだけれど、日記だけは思いだしたように断続的につけている。半月つけて四カ月休み、三カ月つけて二カ月休むといった調子で、これが今まできれぎれにつづいている。

もっとも僕のつけているのは正確に言うと「日記」ではなく、「日誌」である。朝何時に起きた・天候・何を食べた・誰と会った・どれだけ仕事をした、といった事実をメモするだけで、それ以上のことはまったく書かない。心理描写とか創作のためのノートとか社会的事件についての省察といったようなものは皆無である。だから死後日記が発見されて出版されるなんていう可能性はまずない。

だって、

朝6時起床・晴・一時間走る
朝食→穴子《あなご》茶漬《ちゃづけ》
午前中・小説7枚
おろしそば←昼食
午後・小説4枚、「週刊朝日」H氏より電話（三時）
夕食→海老《えび》コロッケ、野菜サラダ、ビール二本
午後十時就寝・平和な一日

十月八日（晴）
M子と食事
その後……
楽しかった
一日

なんていう記述がエンエンとつづく平和で退屈な日誌を誰かが楽しんでくれるとも思えないからである。

　そりゃ僕だって、

　十二月十六日（晴）
　昼食・三浦百恵さんの自宅に招待され、手づくりの天丼《てんどん》をごちそうになる。
　午後・獄中の三浦和義氏より電話あり。
　夕食・「吉兆」で薬師丸ひろ子さんと会食、その後二人で西麻布で酒を飲む。
　家に帰って原稿二百五十枚書く。
　講談社より印税二億六千五百万円の振込通知あり。

なんて日記を一日でいいから書いてみたい

とは思うけれど、そんなことは絶対にありえない。小説家の一日なんて本当に平凡で退屈なものである。こういう原稿をコソコソと書きながらジョンソンの綿棒で耳そうじをやっているうちにずるずると一日が終わってしまう。

僕がこのような記述をするために使用しているのは〈ライフ〉という文具メーカーが出している「業務日誌」というきわめて即物的なタイトルのノートである。これはシンプルで頑丈《がんじょう》で、情緒性《じょうちょ》というものがまったく欠如した代物で、「いかにも日記帳」というべたべたしたところがなく、僕の使用目的にはぴったりと合致している。腰帯には「業務管理に重要な役割を示す営業成績の必然的向上。早期発見できる過去の欠点」という宣伝文句が刷りこまれている。全体的な文意がちょっとわかりにくいきらいはあるが、なんとなく効用がありそうな気がする。とくに「早期発見できる過去の欠点」なんて文句を目にすると、僕の心は思わずうずいてしまうのである。

たしかに昔の日記を見ていると、過去の欠点はよく発見できる。

たとえば、

××年十月八日（晴）

M子と食事、軽く酒を飲んで家まで送り届ける。

なんて記述を読むと、そのときのことを思いだして、「あのとき、やっておこうと思えばやれたんだよな、うん」と反省することもある。しかしそういう「過去の欠点」を今さら発見したってとても「早期発見」とは言えない。一回損したというか、なんというか、残念なだけである。あまり効用というほどのことはない。

僕のつれあいは僕のつけている「日誌」より五倍くらい濃密な日記を毎日緑色のインクでみっちりと書きこんでいる。かなり手間のかかる作業だと思うのだけれど、この何年か一日も欠かさずつけている。

「訴訟のときに役に立つかもしれないでしょ、こういう風に細かいことを毎日記録しておくと」と彼女はその日記をつけている理由を僕に説明する。

「訴訟？　訴訟ってなんだ？　何の訴訟だ？」と僕は質問を——ごく当然な質問を——する。

「べつに何の訴訟ってことないけど、そういうのがあるかもしれないでしょ」と彼女は答える。

ときどき家庭というものがすごくシュール・レアリスティックに見える。

この原稿を書いたあとで、大阪にあるマルニーという文具製作会社から「非情緒的・記録的」記述を目的としたユニークな日記帳を送っていただいた。うまく使えば一冊二十年は使えるというふれこみで、なかなかよく考えて作ってある。とにかく「非情緒的」というのがいいよなあ。

趣味の禁煙

ずっと昔に読んだ小説なので筋の細かいところがあっているかどうかもうひとつ自信がないのだけれど、スティブン・キングの短編に『禁煙会社』（だったと思う）というのがあった。これはその名前どおり、禁煙をうけおってくれる会社の話である。禁煙したいのだけれど、いまいち自分の意志の力に自信が持てないという人がここに申し込みをすると、会社の方で責任を持って禁煙を成功させてくれるわけだ。もっとも誰《だれ》でもが簡単に申し込めるわけではない。会社は厳重な秘密組織になっていて、情報は口コミで人から人へとそっと伝えられるだけだし、その加入金も驚くほど高い。しかし禁煙の成功率は掛け値なしの百パーセントである。

ある男がその話を耳にして、半信半疑でその会社に禁煙の申し込みをする。しかし何日か後にどうにも我慢ができなくなって、一本の煙草《たばこ》を手にとり、それに火をつけてしまう。さてその彼を待ち受けていた運命は……というちょっとゾッとする話なのだけれど、最後まで話してしまうと小説を読む楽しみがなくなるので、残念ながら結末は伏せる。

しかし要するに、この話の教訓は「禁煙は自力で成しとげるしかない」ということだと僕は思う。楽をしようと思うから落とし穴に落ちこんでしまうのだ。

個人的な話をすると、僕は禁煙についてはかなりの自信を持っている。昔は一日五、六十本を吸うまずまずのヘビー・スモーカーだったのだけれど、ある日ぱったりとやめて、それ以来長編小説にかかりきりになる何カ月かは吸って、それが終わるとやめるというサイクルでやってきている。だからやめようと思えば「禁煙会社」に申し込まずとも煙草を吸うのをやめることはできる。

僕は思うのだけれど、禁煙に成功する・しないというのは意志の力とはそれほど関係ないみたいである。そりゃもちろん意志の力がまったくなきゃ禁煙できるわけないけれど、いちばん大事なのはノウハウである。「どうすれば有効に禁煙できるか」というノウハウがわかっていれば、禁煙というものはある程度システマティックに完遂できる筋合いのものなのだ。家中に「禁煙」と書いた紙をべたべたと貼《は》ったり、ライターと灰皿《はいざら》をまとめて川に投げこんだりするような人をしばしば見かけるが、こういうのは見かけが派手なわりに効果はあまりない。

禁煙のノウハウというのは人それぞれに少しずつ違うものだけれど、僕の場合は次

の三点に要約できる。

（1）禁煙を始めたら三週間は仕事をしない。

（2）他人にあたる。汚い言葉を吐く。どんどん嫌味《いやみ》を言う。

（3）好きなだけ好きなものを食べる。

この三つの条件が充《み》たされれば、僕はわりに簡単に煙草をやめることができる。

（1）の仕事をしないというのは僕にとっては禁煙の必須《ひっす》条件であって、現実的に煙草をやめてしばらくはとても文章なんて書けない。字も震えるし、言葉も出てこない。だから禁煙しようと思うときはあらかじめ三週間は一字も書かなくていいという状況を作っておくわけである。そしてそのあいだはのんびりと映画を観《み》たり、スポーツをしたりして過ごす。

愛人のいる方は一緒に温泉なんか行かれるといいですね。

しかしこういう具合にちゃんと予定を立てて禁煙しているときに突然「すみません、このあいだの原稿なんだけど、誌面の都合であと二枚ぶん増やして下さい」なんて電話がかかってきたりするとものすごく困る。なにしろロクに字が書けないのである。この前なんか「それから」という字を書いたら「ろれから」となってしまって、「なんかこれ変だな」とは思うのだけれど、それが「ろれから」であることを認識するためには文章を五回くらい読みなおさなければならなかった。

もっともサラリーマンの方なんかは二、三週間一切仕事をしないというのは現実的に無理だろう。そういう場合どうすればいいのかは僕にはよくわからないけれど、思い切って二、三週間目いっぱい仕事の手を抜いて怠けてみるのも良いのではないかと思う。たまには気分転換にいいじゃないですか。その結果どうなるかは責任持てないけど。

それから（2）の人にあたるというのも大事なことである。こっちは辛《つら》い思いをして禁煙しているのだから、何もおとなしく良い子にしている必要はない。普段は言えないようなことも禁煙のイライラを利用してどんどん言っちゃうのがいちばんである。僕は禁煙するたびに担当編集者に「村上さんもひと皮むくと嫌な性格なんですねえ」

と言われるけど、人と人とのつきあいというのはそれくらいのスリルがないことには面白《おもしろ》くもなんともない。

（3）の食べるということだけど、煙草をやめればこれはもう確実に腹が減る。腹が減ったら食べるのが自然である。煙草もやめるダイエットもやるなんてことはまず不可能である。太るのが気に入らなければ、禁煙が一段落してからまとめてダイエットするしかないです。

僕は思うのだけれど、多くの人々が禁煙に失敗するいちばんの原因は「何もかもを一度に処理しちゃおう」という性急さ・自己過信にある。自分はきわめて限定された能力しか有していない惨《みじ》めな人間存在であるという自己認識なしには禁煙は成功しない。要するに何から何までうまくやってのけることなんて自分にはとてもできないし、何かをなしとげるにはべつの何かを捨てるしかないのだと認識することである。

禁煙というのもこういう風に深く考え始めると面白くて、ついつい何度もやっちゃいそうである。

外国で飛行機に乗るとき「禁煙席にしますか、喫煙席にしますか?」と訊かれたら、“Cancer seat, please” と答えるとたまにウケます。どうでもいいようなことだけど。

批評の味わい方

これはいちいち断るまでもないことだけれど、どんな職業にもその職業固有のルールがある。たとえば銀行員は金勘定を間違えてはならないし、弁護士は飲み屋で他人の秘密をしゃべりまくってはならないし、性風俗関係のヒトは客のペニスを見て吹き出してはならないといったようなことである。マニュキュアを塗ったすし屋の職人というのも困るし、小説家よりはるかに文章の上手《うま》い編集者というのもなんとなく困る。

しかしそのようなベイシックなルールとはべつに、その職業についた人間の一人ひとりが個別に抱く信条というものがある。そういう信条をたくさん抱えこんでいる人もいるし、ほとんど持っていないという人もいる。僕は人を観察するのがわりに好きで、いろいろと見ているけれど、世の中には本当にいろんな人がいると思う。僕なんかにはまったく理解することのできない信条に強固にしがみついている人もいれば、非常に大雑把《おおざっぱ》なやり方で適当に物事を処理して——それはそれでまあいいんだけど——うまくいかないと他人を恨む人もいるし、信条が少ないわりに能書きが多いとい

うタイプの人もいる。しかしこういうのは最初にも言ったように人それぞれの裁量にまかされる種類のことだから、どれが良くてどれが悪いとは簡単には言えない。

　僕ももちろん文章を書くにあたってはいくつかの個人的信条を持っている。これはべつに誰に教わったわけでもなく、ごく自然に最初の段階で身についた。というか、僕は文章を書きはじめた年齢が比較的遅かったので、それまで経験したいろんな職業で身につけたノウハウをそのままそっくり文筆業に応用しちゃったわけである。最初のうちは間にあわせのつもりでやっていたのだけれど、あまりにも自分にぴったりとしているように感じられたので、今でもそのまま使用している。

　そういう僕の個人的信条をひとつひとつ書

き出すとずいぶん長くなるし、あまり意味があるとも思えない。読み物としても多分、面白くないと思う。

でもひとつだけ例をあげる。それは「作家は批評を批評してはならない」ということである。少なくとも個別の批評なり批評家なりを批評してはならない。そんなことをしても無意味だし、無益なトラブルに巻きこまれるだけだし、自らが卑《いや》しくなるだけである。僕はずっとそんな風に考えて生きてきたし、そのおかげで自らをすり減らせる機会をずいぶんうまくパスしてくることができた。ドストエフスキーはこの世に様々な種類の内的な地獄が存在していることを示唆《しさ》しているが、作家が批評なり批評家なりを批評するという状況もその地獄のうちのひとつであろうと僕は確信している。

作家は小説を書く――これは仕事だ。批評家はそれについて批評を書く――これも仕事だ。そして一日が終わる。それぞれの立場の人間がそれぞれの仕事を終えて家に帰り、家族と食事をし（あるいは一人で食事をし）、そして眠る。それが世界というものである。僕はそういう世界のなりたち方というものを信頼しているとまでは言わないにしても、前提条件として受容しているし、少なくともケチをつけたって始まらないだろうと思っている。だからケチをつけるよりは早く家に帰って食事を済ませ、早く布団《ふとん》にもぐりこんで寝ちゃおうと努力する。スカーレット・オハラじゃないけれど、夜が明ければ明日が始まるし、明日には明日の仕事が待っているのだ。

　僕は自分に関する批評というのはまず読まない人間だけれど、それでもふと気が向いて読んだりして「これはないんじゃないか」と思うことはたまにある。事実誤認もあるし、明らかな見当違いもあるし、あからさまな個人攻撃もあるし、本を最後まで読まずに書いているとしか思えないわけのわからない批評もある。

　でもそのようなあらゆる事情を考慮しても、作家が批評を批評したり、それに対して何らかのエクスキューズをしたりするのは筋違いだと僕は考えている。悪い批評というのは、馬糞《ばふん》がたっぷりとつまった巨大な小屋に似ている。もし我々が道をあるいているときにそんな小屋を見かけたら、急いで通りすぎてしまうのが最良の対応法である。「どうしてこんなに臭いんだろう」といった疑問を抱いたりするべきではない。馬糞というのは臭いものだし、小屋の窓を開けたりしたらもっと臭くなることは目に見えているのだ。

　先日引っ越しの荷物を整理していたら、僕についての古い批評の切り抜きが段ボール箱いっぱい出てきた。だいたいが五、六年前の僕のデビュー当時のもので、女房がマメに切り抜いて保管しておいてくれたのだ。よくもまあと感心しながらパラパラと読みはじめたらけっこう面白くて、結局ぜんぶ読んでしまった。ほめる・ほめないには関係なく中には今でも「なるほど、そうだな」と納得させられるものもあるし、思わず吹きだしてしまうような出鱈目《でたらめ》なものもある。しかし五、六年も昔のものだといずれにせよ生々しさは消えているから、なんとなくほのぼのとした気持ちで批評を読むことができる。こういう批評とのかかわり方というのもなかなか楽しいものである。今僕の小説についてどんな批評が出ているのかは五年くらいあとにまたゆっくりと熟読玩味《がんみ》してみたいと思う。待ち遠しい。

再び山口下田丸、そして安西水丸氏について

何回か前のこのコラムで山口下田丸こと山口昌弘君についていろいろ書いたら、その何日かあとで山口君がやってきて氷づけの鮎《あゆ》を十匹ほど置いていった。「なんだよ、これ？」と僕《ぼく》が訊《き》くと、「えへへへ、いや、下田のお袋が村上さんにさしあげるようにってくれたんです。あの、たまには良いことも書いていただくようにって。なにせ田舎の人間ですから」とのことである。

というわけで鮎はありがたくいただき、塩焼きにしたり、雑炊にしたり、唐揚《からあ》げにしたりして食べた。とてもおいしい鮎だった。東京で美味《うま》い鮎はまず手に入らないから貴重である。他人の悪口は書いてみるものである。

しかし考えてみると僕は三度くらい山口昌弘＝下田丸のことをエッセーに書いたけれど、良いことは一度も書かなかったような気がする。「頭が悪い」とか「気がきかない」とか「役に立たない」とか「女にモテない」とか、そういう悪いことばかり書いてきた。鮎をもらったから安易に反省するわけではないけれど、山口にも山口の御

両親にも申しわけないことをしたと思う。僕がこれまで山口についていろいろと書いた悪口の四分の一くらいは冗談です——といってもたぶんこれじゃ弁明にはならないだろうな。

先日表参道を歩いていたら安西水丸さんにばったり会ったので（水丸さんという人は忙しい忙しいと言っているわりにはあの辺をいつもうろついている）、「ねえ、この前の原稿で山口のことをちょっと悪く書きすぎちゃったですかね？」と訊いたら、「いや、あんなもんだよ。実にあのとおりだよ。あれでいいですよ」と言われた。だから僕としても意を強くしたのだが、しかしたまには山口の良いところを書いてやりたいと思う。

山口下田丸は昔僕と僕のつれあいにTシャツとレコードをくれたことがある。要するに親切な男である。Tシャツは白いだ円形の物体が紛《まご》うかたなき安西水丸氏の筆によって描《か》きこまれていた。

「なんだよ、これ？」と僕が訊くと、「あれ、やだなあ、これ知らないんですか？」と山口はびっくりしたように言った。

「これはですね、僕が作った『求人タイムズ』の〈金のタマゴになりたいな〉っていうCMがあってですね、それ用に作ったTシャツなんですよ。知ってるでしょ、〈金

のタマゴになりたいな〉ってＣＭ？」

「知らないよ。ＴＶ観ないもの」

「そうか、そういえばまえの時もそう言ってましたよね。〈人間だったらよかったんだけど〉つうやつのときも。弱ったな、ＴＶ観ないんだものな。じゃあテーマ・ソングも知らないすよね」

「知らないよ」

「レコードあるんだけど聞きますか？」

「聞きたくないよ、そんなもの」

「そんなこと言わないで下さいよ、僕が歌詞書いたんだから、えへへへ、ちょっと聞いてみて下さいよ」

　と言って山口はレコードを置いて帰っていった。ジャケットに印刷された山口の書いた詞があまりにもひどかったので、レコードは一度も聞かなかった。そして何日かあとでそのことを言うと山口はひどく落ちこんだようだった。

「でもさ、お前、正直に感想言ってくれる人なんて世の中にあんまりいないよ」

「え、ま……、まあ、そうですけど……」

と山口は力なく答えた。

とまあ、また悪口になってしまったけれど、山口下田丸＝昌弘はかなり親切な男ではある。

そのあと僕と僕のつれあいはその〈金タマ〉Tシャツを着てアメリカに行った。アメリカで〈金タマ〉Tシャツを着ていると、アメリカ人に「それナンの絵ですか？」と訊かれた。僕が「んーと、ゴールデン・エッグですね」と答えると、「おお、それタマゴに見えませんでした」と驚かれた。しかしこれは山口の責任というよりは安西水丸氏の責任である。安西水丸氏の絵が激しく希求するところのポスト・モダン・リアリズムは後進国アメリカではまだ正確には理解されないのだ。不朽の名作『普通の人』がニューヨーク近代美術館入りするのももう少し先のことになりそうである。

ところで世間には安西水丸さんの絵をめぐってふたつの対立する意見がある。ひとつは「水丸の絵は一見単純そうに見えるけれど、あれはかなり時間をかけて描いているのだ」という説と「時間なんてかかるわけないじゃないか」という説である。僕としてもその真相が知りたかったので、年末に水丸さんと仕事のうちあわせで食事をしたときに「ねえ、水丸さん、年賀状の絵を描いてくれませんか?」とポケットから葉書を二枚とペンを出して水丸さんにわたした。水丸さんは「あ、いいですよ」と言って葉書とペンをわきに置き、そのまままちびちびと酒を飲み、あんきもをつつき、河豚《ふぐ》を口にはこび、なんのかんのと世間話をしていた。

氏がふと盃《さかずき》を机に置いてペンと葉書をとりあげたのは約三十分後のことであった。結果的にはその二枚の絵を描くのに約十五秒しかかからなかったけれど、問題はその十五秒に辿《たど》りつくまでの三十分間にある。安西水丸氏にとってその三十分間とはいったい何だったのだろう? 可能性としては、

(1) あんきもを食べながらずっと構想を練っていた。

(2) 急に頼まれたので恥ずかしくて三十分照れていた。

(3) あまり早く描いちゃうと有り難《がた》みがなさそうなので、ただ単に格好をつけていた。

の三つが考えられるけど、うーん、どれだろうね?

わりと変な一日

先日突然ディッケンズの『デヴィッド・カッパーフィールド』が読みたくなったので某大書店に行って探してみたのだが、これがどうしてもみつからない。仕方ないからリファレンスのデスクにいた若い女店員に「すみません、ディッケンズの『デヴィッド・カッパーフィールド』探してるんですけど」と言うと、「それはどういう分野の本なのでしょうか？」と質問された。

それで僕が思わず、

「え？」

と言うと、相手もやはり、

「え？」

と言った。

「だから、そのディッケンズの『デヴィッド・カッパーフィールド』なんですけど」

「だからそれはどういう種類の本なんですか？」

「えーと、つまり小説です」

というやりとりがあって、結局それについては小説のカウンターでたずねてみて下さいということになった。一瞬「書店のリファレンスがなんでディッケンズを知らないんだよ」と愕然《がくぜん》としたけれど、まあ最近の若い人はディッケンズなんてまず読みはしないから、それも当然のことなのかもしれない。世の中というのは我々がそれと気づかぬうちにずいぶん大胆な変化を遂げているものである。

僕としてはその女店員をお茶にでも誘って「ねえ、じゃあ、シャーロット・ブロンテ知ってる？　プーシキン知ってる？　スタインベック知ってる？」と詳しく追求してみたかったのだけれど、向こうも忙しそうだったし僕の方も決して暇ではなかったので、残念ながらそれは断念した。

書店を出て用事を済ませると腹が減ったので、ふと目についた小綺麗《こぎれい》な洋食屋に入り、ビールを飲んで早目の夕食をとることにした。僕は毎日だいたい五時頃《ごろ》に夕食をとることに決めているのだが、おかげでいつもすいたレストランで食事をすることができてなかなか気持ちが良い。うるさくないし、ゆっくりメニューが選べる。

メニューには「洋食弁当」２５００円というのがあったので、「んーと、これはどういうものが入っているんですか?」とウェイトレスに質問した。

「いろいろです」と彼女はきっぱりとした口調で言った。

「あのね、そりゃ弁当っていうくらいだからいろいろ入っているだろうということはわかるんだけど、たとえばどういったものが入ってるんですか?」

「だから、洋風のものがいろいろと入ってるんです」

ということで、これは〈山羊《やぎ》さん郵便〉風迷路に迷いこんでしまいそうなので、僕は洋風弁当を断念しべつの単品料理を注文した。べつに彼女に対して腹を立てているわけではないけれど、弁当に何が入っているのかひとつふたつくらい教えてくれたっていいじゃないかと思う。こちらとしてもそれを盾にとって理不尽なことをしようというわけじゃないんだから。

食事のあとでぶらぶら街を歩いていたらデパートの前を通りかかったので、中に入ってツイードの上着を探すことにした。その少し前に担当編集者の木下陽子さん（仮名）に「村上さん、いつもジーパンに運動靴《うんどうぐつ》ばかりはいて、いったい何にお金使ってるんですか?」と言われたからである。気に入った上着があったので「ちょっとサイズが小さいかなあ」とも思ったが試しに袖《そで》をとおしていると女店員が風のようにとんできて、「お客様、それはサイズが小さすぎます。それじゃとても駄目《だめ》ですよ」と吐き捨てるように言った。

それで僕が「うん、そうみたいですね。もう少し大きめのものがあったら……」と言おうとしたら、そのときもうそこには彼女の姿はなかった。僕は彼女が戻《もど》ってくるのをそのまましばらくそこに立って待っていたのだが、戻ってきそうな気配がまるでないのであきらめて家に帰った。なんだかよくわけのわからない一日である。こちらが他人から不当な扱いを受けたような気もするし、逆にこちらが他人を不当に扱ったような気もする。本当はどちらなのか判断ができない。

書店の女の子はあるいは家に帰って食卓で「ねえお母さん、今日嫌《いや》な客が来てさ、わけのわかんない本の名前を言って、私がそれを知らないって言うと露骨にバカにすんのよ、アッタマ来ちゃうんだから」と言っているのかもしれない。

レストランのウェイトレスは「ふん、洋食弁当ってメニューにあればそれを黙って注文して食べるのが粋《いき》ってもんよ」とコックにこぼしているかもしれない。デパートの女店員は「自分のジャケットのサイズもロクに知らないで袖をとおすようなイモの相手してらんないわよ」と思っているのかもしれない。

そう考えてみると、相手の言いぶんにもそれぞれに一理あるような気がしてくる。あるいは僕の生き方そのものが根本的に間違っていたのかもしれないとさえ思う。世の中というのはなかなかむずかしいものである。

『デヴィッド・カッパーフィールド』はその時には絶版だったのですが、平成元年二月に復刊しました。それからここに出てくる木下陽子さん（仮名）は「高所恐怖」で僕を馬鹿にしたのと同じ人です。

雑誌の楽しみ方

出版関係の業界の人と会って話をすると、「村上さんは今どの雑誌をいちばん面白《おもしろ》く読んでますか？」と訊かれることが多い。今の雑誌戦争はきわめて熾烈《しれつ》だから、それだけに作り手の方もかなり真剣に状況を分析していかないととても生き残っていけないのだろう。

でもそう訊かれても僕は雑誌の熱心な読者ではないし、たまに気が向くと手にとってページをパラパラめくるという程度なので、どの雑誌が現在いちばん面白く、どの雑誌がいちばん先鋭的かなんてとても判断できそうにない。それにだいたいこれほど数多くの似たり寄ったりの雑誌が書店の店頭にどっと積みあげられている今、僕には選択肢《せんたくし》そのものの実態を正確に把握《はあく》することさえできそうにない。いったい誰《だれ》に午後四時半の薄闇《うすやみ》と午後四時三十五分の薄闇を区別することができるだろう？　人はあるいはそういうものを差異と呼ぶのかもしれないけれど、僕は幸か不幸かもう少し漠然《ばくぜん》とした規準のもとに生活をしているので、その手の選別作業にはあまり興味が持てない。

要するに早い話が、雑誌の数があまりにも多すぎて、どれがどんな雑誌だったか正確に思い出せないのである。僕の友人が「良い雑誌とは廃刊した雑誌のことだ」と言っていたけれど、その気持ちはよくわかるし、あえて実名はあげないが、「あれも何年か前に廃刊してりゃ惜しまれたのに」という雑誌もいくつか頭に浮かぶ。逆に廃刊しちゃった雑誌はもう二度と手に入らないから――あたりまえだ――「ちゃんと出ているうちにもっと大事にしとくんだったなあ」という気についなってしまうのだ。

たとえば今はなき『ハッピーエンド通信』なんか、僕は好んで仕事をしていたのになくなってしまって残念である――というような話を当時『ハッピーエンド通信』の編集をしていた加賀山弘にすると、彼はシニカルに唇《くちびる》をゆがめて「みんなそう言ってくれるけど、なくなっちゃってから同情されたってどうしようもないんですよね」と言う。まあ作り手の方からすればそれは正論であろう。

それから、こういうのも加賀山弘に言わせると「あとおい同情論」の一変型になるのかもしれないけれど、僕が書き手としてわりに仕事がやりやすかったなという雑誌はよく潰《つぶ》れている。この『ハッピーエンド通信』もノー・ギャラ同然のわりにはよく仕事をしたし、中央公論社から出ていた『海』でもポット出の新人のわりにはフィッ

ツジェラルドやカーバーの翻訳を好き放題やらせてもらった。それから文化出版局から出ていた『TODAY』という雑誌でもいろいろと楽しく仕事をした。しかし結局みんななくなってしまった。僕なんかがのんびりと気持ちよく仕事のできる雑誌はあるいは早晩消滅する運命にあるのかもしれない。新潮社の『大コラム』なんてもう二度と出ないのではないだろうか？

パラパラと読む雑誌の中で比較的熱心に見るものというと、まず第一に『プレイガイドジャーナル』という関西の情報誌をあげなくてはなるまい。

この雑誌には関西一円の映画やコンサートやその他もろもろの情報しか載っていないから、東京に住んでいる人間の役にはまったく立たないし、当然のことながら東京の一般書店では売られていない。しかし僕はそういった種類の「役に立たなさ」が個人的に大好きである。それに細かい情報を仔細《しさい》にチェックしてみると東京と関西の人々の様々な事象に対するコンセンサスが微妙に違っていることがわかって結構面白い。たとえば関西のあるTV局は『猿の惑星』シリーズ五本、『昭和残俠伝《ざんきょうでん》』三本、一挙連続放映というものすごいことをしている。いくら正月とはいえ、東京のTV局はあまりこういうことはしない。正月の朝から夜までTVの前に座り「おい、あの猿ようできとるなあ」「ほんまですなあ」などと言いながら『猿の惑星』を五本見て酒を飲んだりおせち料理を食べたりしている関西の人の姿を想像するだけで僕の頭はぐらぐらしてくるのである。それから中島らものコラムが読めるのも嬉《うれ》しい。

『プレイガイドジャーナル』以外では『広告批評』という雑誌のTV・CF紹介記事をピックアップして読む。どうしてそんなものを読むのかというと、僕はTVにもコマーシャルにもまったくといっていいくらい興味を持っていないし、ほとんどのCFは実際に目にしたことがないからである。実際に見たことないCFを文章とスチル写真だけで想像するというのはかなり奇怪《きっかい》で、しかも役に立たない作業である。

たとえばここに「白子のり」の広告フィルムの紹介があるのでちょっと抜粋してみる。

開いたエレベーターから降りてくる、伊東四朗と部下の峰のぼる
伊東「山下君、君は先日、白子のりをまだ食べたことがないと、確かそういっておったね」
部下「いやあ、勉強不足でどうもスミマセン」
（以下略）

というような感じになるのだけれど、文章だけで読んでいるとこれがどうして年間第二位のＣＦになるのか、面白さの質がよく把握できない。でも実際に見た人は面白いと言っているからなあ……などと深刻に「白子のり」ＣＭの映像を想像していたりする今日このごろである。

誰かが『ＴＶ・ＣＭ傑作編』というヴィデオ・クリップ集のようなものを作ってくれるといいなあと思う。意外に売れるのではないだろうか？　あと『メイキング・オブ・白子のり』とかね。

加賀山弘はこのあともいくつか雑誌をつぶした。

ラム入りコーヒーとおでん

個人的な所見を述べるなら、冬になると美味《うま》いのはなんといっても鍋《なべ》ものとラム入りコーヒーである。もちろん鍋ものとラム入りコーヒーを一緒に食べるとうまいと言っているわけではなく、それぞれべつべつにおいしいということです。ラム入りコーヒーを飲みながらおでんを食べたってそんなのおいしいわけない。

僕《ぼく》はこの二年ばかりかけてジョン・アーヴィング『熊《くま》を放つ（Setting Free The Bears）』というやたらと長い小説を訳していたのだが、その中にラム入りコーヒーの話がよく出てくる。これはウィーンを舞台にした小説で、主人公たちがよく街角のカフェに入って「ラム入りコーヒー」を注文するわけである。そういうのを読んでいると僕もすごくラム入りコーヒーが飲みたくなるのだが、残念ながら日本で美味いラム入りコーヒーが飲める店というのはあまりない。メニューに「ラム入りコーヒー」とあっても、あまり数が出るとも思えないし、従ってラム酒も相当古いんじゃないかと疑いたくなってしまう。それから日本で飲むラム入りコーヒーには、なんというか音

楽で言うところのソノリティーのようなものが欠如しているような気がしてならない。つまり「ラム入りコーヒーかくあるべし」というコンセンサス風の響きがうまく伝わってこないのである。

それに比べると——こういうモノの言い方はなんかもう冷や汗が出ちゃうんだけど——冬のオーストリアとかドイツとかで飲むラム入りコーヒーはすごくおいしい。なにしろあの辺は東京なんかに比べると圧倒的に底冷えするから、ダウン・ジャケットに手袋にマフラーと完全装備でたちむかってもうすぐに「うー、さぶさぶ」という感じになって、カフェにとびこんで温かいものを飲みたくなってしまう。カフェのガラスというのはだいたい暖房のせいで白くもっていて、外から見ると本当に暖かくて居心地良さそうに見えてしまうのである。そういうところにとびこんで注文するのはやはり「ラム入りコーヒー」がいちばんである。ドイツ語ではたしか「カフェ・ミット・ルム」だったと思うけれど、間違っていたらすみません。

熱い熱いコーヒーの上に大盛りの白いクリームがのっていて、ラムの香りがツーンと鼻をつく。そしてクリームとコーヒーとラムの香りが一体となってある種の焦《こ》げくささのようなものを形成するわけだ。これはなかなかのものである。そして確実に体が暖まる。

そんなわけで、僕はドイツとオーストリアにいるあいだ来る日も来る日もずっとラム入りコーヒーばかり飲んでいた。屋台でカリー・ヴルスト（カレー風味ソーセージ）をかじり、カフェに入ってはラム入りコーヒーを飲むというパターンである。やたら寒くはあったけれど、それなりに幸せな一カ月であった。人っ子ひとりいない底冷えのするフランクフルトの動物園でガタガタと震えながら飲むラム入りコーヒーの味はまた格別で、今でもわりにはっきりと覚えている。

日本にはラム入りコーヒーはないけれど、そのかわり「おでん」がある。ラム入りコーヒーも良いけれど、おでんも悪くない。昼間ウィーンでラム入りコーヒーを飲んで夜は東京でおでんを食べていられると言うことないなあなどと馬鹿《ばか》なことを考えたりもする今日この頃である。

私ごとで申しわけないのだが――といってもこのコラムの内容は徹頭徹尾私ごとなんだけど――僕のつれあいはおでんという存在を深く強く憎んでいて、従って僕のためにはまずおでんを作ってくれない。彼女がおでんを憎むのは少女時代に大根とちくわぶに電車でいたずらをされたから――というのはまったくの嘘《うそ》で（あたり前だ）、ただ単に嫌《きら》いなだけである。そんなわけで僕はだいたいいつも家の外で一人でおでんを食べる。

中年の男が一人でおでんを食べる姿はシックとは言えないにせよ、それほどみっともないものではない。二十代の頃には一人でおでん屋に入って酒を飲むというのは今ひとつしっくりとこなかったのだが、三十を過ぎてからはごく普通にできるようになった。映画を観《み》たあとでちょっと一人で飯でも食うかというときには僕はだいたいおでん屋のカウンターに座ることにしている。寿司《すし》屋だと「本日のネタと対決する」という一種の緊迫感があるが、おでん屋というのは原則的に本日のネタも何もないから気が楽であるし、だいいち安い。一人でぼんやりと考えごとをしながら酒を飲むのはおでん屋がいちばんである。

ただ僕はいつも思うのだけれど、世間にはおでんの正統な食べ方というのは存在するのだろうか？　たとえば寿司屋で最初からトロをつづけてふたつも食べるのが不粋であるように、最初から玉子を二個つづけちゃいけないとか、ちくわとはんぺんのあいだには昆布《こぶ》をはさむのが常識だとか、ロールキャベツのあとは豆腐で後味を消すのが通だとか、そういういわゆる「おでん道」のようなものがあるのだろうか？　それともロールキャベツなんかはもともと通は食べちゃいけないのだろうか？　よくわからない。少なくとも親は正しいおでんの食べ方というようなことについては何も教えてくれなかった。

安西水丸さんはそういうことにはわりにシビアな人だから、一緒におでんを食べに行ったりしたあとで「村上くんってなんのかんの言うわりにおでんの食べ方が雑なんだよね。コンニャクのあとでギンナン食べたりするんだよ」なんて言われそうで怖いです。

僕は海老《えび》芋《いも》を入れたおでんが大好きなのだけど、東京ではまずお目にかかれない。屋台のおでん屋では江の島の橋の入り口にいくつか並んでいるのが貝なんかがいっぱいはいっててけっこうおいしいです。藤沢に住んでいる頃は昼ごはん時によく江の島まで散歩して食べていた。

阪神間キッズ

僕が生まれた場所は一応京都だけどすぐに兵庫県西宮市夙川《しゅくがわ》というところに移り、それから同じ兵庫県芦屋《あしや》市に移っている。だからどこの出身かというのは明確ではないのだが、十代を芦屋で送り、両親の家もここにあるのでいちおう芦屋市出身ということになっている。本当のことを言うともっと漠然《ばくぜん》と「阪神間出身」ということにしてもらえると僕自身しっくりするのだけれど、この「阪神間」ということばのニュアンスは関西関係者以外にはいくぶんわかりづらいところがある。

もっとも「芦屋」とはいっても僕が育ったのは今話題沸騰《ふっとう》のお嬢様ブーム風の芦屋ではなくて、「ごくフツーの人地区」の芦屋だから、どうも素直に「出身は芦屋です」と言えない部分がある。なんとなく恥ずかしいような気がする。僕の家のあたりなんて誘拐《ゆうかい》されそうになって大声を出したらどっと人が――とは言わないまでも、四、五人くらいは人が出てきそうなごくあたり前の住宅街である。

以前田園調布出身の男とそういうことを話していたら彼も「そうなんだよな、実にそう」と同意してくれた。
「俺《おれ》の家なんてさ、田園調布のビンボー側なのにさ、生まれ育ちが田園調布っていうだけで、よく知らない人は『えー、すごいですね』って言うんだよな。たまんないよ」

ということだけれど、たしかに本当にたまらないだろうと思う。だいたい僕なんか十代を芦屋で送りながら「お嬢様」となんてただの一度も口をきいた覚えがない。芦屋について今でもいちばんよく覚えていることといえば、真夜中によく家を抜け出して海岸（今はもうなくなってしまったけれど）に行き、友だちと酒を飲んでたき火をしたことくらいだが、そんなのべつに芦屋じゃなくったって海があればどこでもできることだ。

だから僕はずっと「御出身はどちらですか？」ときかれると「神戸の方です」と答えることにしていたのだが、そうすると「神戸ですか、いいところですね」と言われることが多いのでこれもうっとうしくて、最近では「兵庫県南部です」と答えることにしている。「兵庫県南部」という呼び方はなんか天気予報みたいでさっぱりしていて、わりに好きである。しかし出身地を名のることひとつでも深く考えていくとけっこう面倒臭いものだと思う。

僕自身は知りあいの多い土地というのがあまり好きではないので戻って住もうという気はさらさらないけれど、東京の大学から東京の会社というコースを進んで結婚して身を固めていた阪神間出身の連中が最近になってわりにばたばたと身辺整理をして関西に戻りはじめている。ふと見まわしてみると僕の高校時代の友だちで今も東京にいて連絡がつくのはたった一人しかいない。

彼らの帰郷する理由はおおまかに言うと、「子供も大きくなってきたし、東京よりも阪神間の方がずっと住環境がいいし、そろそろ気心の知れた土地でのんびりと暮らしたい」といったようなことであるらしい。大抵の会社には関西支社（あるいは本社）があるから、べつに東京を離れても生活に困るということはない。ときどきこういう便利さというか気楽さがあるから、阪神間出身者は東京に出てガツガツ・バリバリとやれないんじゃないかという気がすることがある。もちろん中にはそういう人もいらっしゃるとは思うのだけれど、僕は実際にお目にかかったことがない。これは僕の友だち・知人に限ったことかもしれないけれど、みんなわりにのんびりとしていて、酒を飲んで荒れたり他人の足をひっぱったりするようなことはほとんどない。「ま、ええやないか」というあたりでだいたいのカタがついてしまう。

ローレンス・カスダンの映画に『再会のとき（ビッグ・チル）』という60年代《シックスティーズ》キッズが十何年かぶりに再会して愛憎相乱れるという同窓会《リユニオン》ものがあるが、もし同じ設定で阪神間出身者たちを主人公にしてやったら、これはあまり愛憎相乱れる映画にはならなかったのではないだろうか。


「久しぶりやな、今何やってるねん？」

「小説書いてる」

「小説書くいうのもしんどいやろ？」

「まあな」

た。

「ま、元気でやれや」

というくらいでのんびりと映画が終わってしまいそうである。大森一樹が『再会のとき』をリメイクしたら、あるいはこのラインに近くなるのかもしれない。

先日芦屋に戻った友だちと久しぶりに東京で会っていろいろと阪神間の情報を聞いた。

「このあいだうちのお袋がお手伝いさん募集の広告を新聞に出したら二十五、六人申しこみが来てなあ、それで芦屋の市民会館借りて面接やったんや」と彼は言う。お手伝いさんの面接をやるのに市民会館を借りるというのはスケールが大きいというか、気宇雄大というか、とにかく凄《すご》い。

「それでお袋が一人でやるのしんどいと言うから、俺もつきそいで行ったんや。なにせもう二十何人やから、話するだけで疲れるで」

彼の話によればその二十何人の中には「どうしてまたこんな人が」というような美しく理知的な人もいて、一人を選ぶのに大変苦労をしたそうである。僕も一度芦屋の市民会館でお手伝いさんの面接をしてみたいと思う。水丸さんもやりたいでしょう。

国分寺・下高井戸コネクションの謎《なぞ》

僕はだいたい寝つきが良い方で、布団《ふとん》をかぶった次の瞬間には石のようにぐっすりと眠っているというタイプである。すぐ寝る・よく寝る・どこでも寝る、というのが僕の眠りの三大特徴なのだが、寝つきの悪い人にとってはそういうのを目にするのは少なからず不愉快なことであるらしい。

僕だって自分より早く寝ちゃう人間を見ると――そういうことは本当にごくごく稀《まれ》にしかないのだけれど――こいつアホじゃないかと思う。先日義理の弟がうちに遊びに来て一緒に酒を飲み、十一時になったので「じゃ、もう寝るか」と言ってそれぞれの部屋にひきあげたのだが、ドアを閉めたとたんに忘れものをしたことを思いだして客間に戻ってみたら、彼はもうしっかりといびきをかいて熟睡していた。その間約十秒というところである。僕だっていくらなんでも眠るのに二十秒くらいはかかる。

それでつれあいに「あの男ほとんど脳味噌《のうみそ》が空っぽなんじゃないかな?」とあきれて言ったら、「あなただってだいたい同じくらいよ」と馬鹿にされた。過度に健康な

夢でみた
下高井戸は
静かな
なかなか
よい町であった

人間というのは、はたから見ているとたしかに馬鹿みたいである。

　もっとも僕だって昔から終始かわることなく寝つきが良かったわけではなくて、若い頃《ころ》には明け方まで一睡もできないという時期だってあった。こんな風にぐっすりとブラック・アウト的に熟睡できるようになったのは小説を書くようになってからである。あるいはそもそもの体質がモノ書きに向いていたのかもしれない。あるいは深い内省の欠如した小説を書いているせいかもしれない。

　しかしそうは言っても、僕にだってもちろんある程度の精神的ストレスはある。あまり沢山はないけれど、まったくないわけではない。片づけていかなくちゃならない仕事も山積しているし、うまく話の通じない人間もいるし、道を歩いていると車と信号が多すぎていらいらする。でも僕の場合、精神的ストレスと眠りとはまったくべつの独自の道を歩んでいるように思える。要するに「これはこれ、あれはあれ」という感じである。よく女の子が一九六〇年代に「私もあなたのこともちろん好きだけど、まだ良いお友だちのままでいたいの。ね」というようなことを言ってたけれど（今でも言っているのだろうか?）、とにかくまあそういう具合に僕の眠りは僕のストレスときちんと一線を画しているわけである。だから僕はぐっすりと気持ち良く眠ることができる。

僕にとっての眠りとは、とろりとした果汁《かじゆう》がたっぷり入ったあたたかくやわらかな果実に似ている。布団に入って「いただきまーす」という感じで目をとじ、その眠りの果汁をちゅうちゅう吸い、吸い尽くしたところで目が覚めるという寸法である。ちょっと変な表現かもしれないけれど、本当にそう感じるのだから仕方ない。こと眠りに関しては僕はわりに真剣なのである。夢なんてほとんど見ないし、見たとしてもきれぎれの断片を辛《かろ》うじていくつか覚えているだけである。

しかし東京に越してきて以来この何カ月か、以前よりはいくぶんはっきりとした夢を見るようになった。田舎から久しぶりに都心にやってきてやはり気持ちがたかぶっているのだろうと思う。またもうすぐ田舎に引っ越しちゃうし、そうすると夢もあまり見なくなると思うので、最近見た夢をここに三つほど記録しておきたい。

(1)「多眼猫」12月22日

僕は毛のふさふさとした大きくて綺麗《きれい》な猫《ねこ》を膝《ひざ》にのせて撫《な》でています。僕も猫も充《み》ちたりた幸せな気分です。でも撫でていると指先がゴワゴワと何かにひっかかる。で、何かなと思って毛をかきわけてみると、これが目なんですね。ん？　という感じで猫の体を調べてみると、あるわあるわ、もう体中目だらけ。全部で三十か四十はあるかな……というところでＦ《フェイド》・Ｏ《アウト》。

(注・夢とは関係ないかもしれないけれど、この前夜の夕食はアジの干物《ひもの》と湯豆腐である)

(2)「国分寺・下高井戸」1月8日

国分寺に行こうと電車に乗るんだけど、窓の外の風景がどうも違うような気がして、変だなと思って、下りてみると、そこが下高井戸なんですね……それだけ。僕は下高井戸に行ったことはないけれど、夢でみた下高井戸は静かななかなか良い町でありました。

(注・これも夢とはあまり関係ないと思うけれど、前日青山一丁目の『ル・コント』で久しぶりにアイスクリームを食べた)
(3)「自転車タイヤ騒動」1月14日
自転車に乗って走っていると、前のタイヤにもうしろのタイヤにもほとんど空気が入っていないことがわかるんです。それで弱ったなあと思っているとちょうど自転車屋が目についたんで、空気入れを借りて一所懸命空気を入れるんだけれど、前を入れてるとうしろの空気が抜けてしまうし、うしろを入れると前が抜けてしまうし、まったく弱っちゃうね……でF・O。

(注・前日は銀座でロベール・ブレッソンの『やさしい女』を観て、そのあと『美々卯《みみう》』であつもりうずらそばを食べた)


とまあ、一カ月に三本もはっきりとした夢を見てしまった。ふだんあまり夢を見ない人間にとってははっきりとした夢を見るというのはけっこう疲れるものである。なるべくならそんなものとはかかわりあいにならずに、眠りの果汁を無心にちゅうちゅうと吸っていたいと思う。

しかしどうして下高井戸が突然出てきたりするんだろう？　まったく見当もつかない。

東京を離れてから実際、まったく夢を見なくなってしまった。最後に見た夢はうちの猫とヘルベルト・フォン・カラヤンによく似た顔つきのカラスが格闘している夢だった。とめようと思ったのだが、カラスが怖くてとめられなかった。それ以来一度も夢を見ていない。

ジャンクの時代

先日、オーエン君という日本に来たばかりの二十二歳のアメリカ人の青年と、食事をしながら世間話をする機会があった。いわゆる「横メシ」である。僕《ぼく》は英語の会話があまり得意ではないので（といってても日本語の会話だってとても得意とは言いがたいけど）、「横メシ」は正直なところわりに苦手なのだが、それでも外国人と話をしていると何かひとつくらいは「うーん」と不思議に納得してしまうことがある。

これはべつに外国人が日本人に比べてとくに頭が良いとか、感覚が優れているとか、そういうことではなくて、外国人と日本人の表現の発想がお互いにちょっとずれているせいだと思う。要するに同じようなことを言っていても、表現方法や視点がほんのちょっとずれるだけでその内容まで新鮮に感じられて、それで「うーん」ということになってしまうわけである。

オーエン君は日本で英会話を教えながら、自分でも少しずつ日本語を学んでいるかなり真面目《まじめ》な青年である。日本のＴＶを見ながら日本語の単語を習得しているという

シリアスにはじまってジョークで終わる！
カール・マルクスのつもりがカール・マルデンの鼻になってしまった（ゴメン 水丸）

ことなので、僕が「日本のTV番組についてどう思う?」と質問すると、彼は少し考えてから「そうねえ、ジョークとしてみれば面白《おもしろ》いんじゃないかな」と真面目な顔で答えた。

　そのときは僕も「なるほど、たしかにそうだな」という感じで笑ってすませたのだが、あとになってだんだんその「ジョークとしてみれば面白い」という表現はTV番組のあり方のみに限らず、広く世間一般の状況にも敷衍《ふえん》できるのではないかという気がしてきたのである。べつに発言の内容そのものはとくに驚くほど目新しいわけでもないけれど、「そう言われてみりゃたしかにそうだよなあ」と、それこそ不思

議に納得させられてしまうわけだ。

それ以来僕は新聞を手にとる機会がある度に様々な事件や状況や有名人のジョーク的側面にごく自然に目を向けるようになったのだが、そういう視点からまわりの風景をぐるりと見まわしてみると、現在世の中を騒がしている物事の約六十五パーセントくらいは「ジョークとしてみれば面白いな」というエリアにすっぽりと収まってしまいそうな気がする。

もちろんそういった「ジョークとしてみれば面白い」物事の何から何までがジョークだというつもりはない。かのカール・マルクス氏が指摘したごとくシリアスに始まってジョークで終わるという種類の物事もあるし、また当事者にとってはきわめてシリアスであるにもかかわらず他人にとっては完全なジョークといったものもある。深いシリアスな井戸から冷たく澄んだ水を汲《く》んで道化のグラスに注ぐという例だってある。

具体的な例をあげるとカドが立つが——と言いながら結局例をあげちゃうわけだけれど——エチオピアの飢饉《ききん》のシリアスさは認めても『ウィー・アー・ザ・ワールド』という唄《うた》は、唄としては僕の耳には質の悪いジョークのように響く。それから殺人事件というのはそれがどのような種類の殺人事件であっても原理的にはシリアスなものなのだろうけれど、今となっては三浦和義氏をめぐるドタバタをジョーク以外のものとして捉《とら》える人はほとんどいないだろう。

スポーツそのものは厳粛なものかもしれないにせよ、日本のプロ野球なんてある意味では今や社会的ジョークと言われても仕方ないのではなかろうか。

美味《うま》い食事をすること自体は良いことだが、昨今のグルメ・ガイド・ブームはやはり一種のジョークとして見るべきだろうし、洋服屋の経営する高級（あるいは高級風）レストランなんて、これはもうジョークの純粋にして華麗な結晶としか言いようのないものが多いみたいだ。

かくかように世界にはありとあらゆる形状とサイズを有する不思議な物事があふれているし、我々はいちいちそれらの本来的な成立過程にかかわりあうよりは――そんなことやっていたらとても体がもたないから――「ジョークとしては面白い」というあたりでたいていの物事をやりすごしてしまっているような気がする。それが良いことなのか良くないことなのか僕にはよくわからないけれど、そうする以外にこの「ジャンク（ごみ）の時代」を有効に生き延びる方法はないんじゃないかという気はしないでもない。つまり本当に自分にとって興味のあることだけを自分の力で深く掘り下げるように努力をし、それ以外のジャンクはジョークとしてスキップしちゃうわけである。

おそらくこれからの何年間かにわたって、我々は好むと好まざるとにかかわらず、そのような生き方を要求されることになるのではないかという気がする。つまり具体的に言うと水平的選択においては軽く、垂直的選択においては重くということになるわけだが、それにしても一九六〇年代はどんどんうしろに遠去かっていきますね。

春樹同盟

先日ある編集者と会って話をしていたら、彼が中野区内で見かけた奇妙な貼《は》り紙のことを教えてくれた。その貼り紙には「春樹求む」という文字と電話番号だけが書かれていたということである。

「なんですか、それ？」

「なんでしょうね？」

と彼も首をひねって言う。

「要するに春樹を求めてるから電話をくれってことなんだろうけど……わかんないですねえ」

「犬探しじゃないよね」

「ええ、犬なら種類とか特徴とか書いてあるもんです。やっぱり人間の春樹さんでしょう」

「それは特定の春樹なんだろうか、それとも不特定の春樹なんだろうか？」

「さあ、わかんないなあ。まあ、とにかく、今度見かけたら電話番号メモしときますから、直接連絡してみたらどうですか。何か良いことあるかもしれないし」

「良いことって、たとえばどんな？」

「いや、想像もつかないですけどねえ」

ということで話が終わったきり彼とは会ってないし、電話番号もまだ教えてもらってはいない。だからもちろん、いったい中野区の誰《だれ》がどんな目的で「春樹」を求めているのかも依然として謎のままである。

いちばんイージーな推測は「春樹」という名を耳にしただけで体の芯《しん》がとろりと溶けたようになってしまう性欲過多の美女が中野区にいて、夜な夜な「春樹」を求めて……というものだけど、名前と性欲が本当にそれほど強固に結びつくものなのかどうか、僕には今ひとつ確信が持てない。

もうひとつの希望的推測は金持ちの老婦人が戦争で死んだ息子と同名の男に莫大《ばくだい》な遺産を残そうとしているというものだが、現実にはそういうことはまずないだろう。アガサ・クリスティーの世界をべつにすれば、金持ちの老婦人というのはあまり突飛なことはしないのではないかという気がするからである。それよりはまだカート・ヴォネガットの『スラップスティック』風に、誰かが、「春樹」拡大家族を求めている

という可能性の方が大きいだろう。全国の春樹さんが集まってビールを飲んだり、唄を唄ったり、ビンゴ・ゲームをしたりして親交を深めるわけである。しかしそういう集まりが果たしてどれほど楽しいものなのか、僕にはよくわからない。無類に楽しいか、どうしようもなくつまらないか、どちらかだろう。

あるいは——と想像力がどんどん膨らんでいっちゃうのだけれど——これは重大な犯罪に関係したことなのかもしれない。中野区に住むある犯罪者がコナン・ドイルの『赤毛同盟』を読んで『春樹同盟』というのを思いついたのかもしれない。中野区内の春樹を一カ所に集めて百科事典の筆写をさせ、そのあいだにトンネルを掘って銀行を襲うつもりなのだ。犯罪の方はともかく、ビルの一室に中野区内の「春樹」が何十人と集まって、みんなでせっせと百科事典を書き写している情景はほほえましくてなかなか悪くない。そういうところに前述の性欲過多の美女が入ってきたりしたら、もう無茶苦茶なことになってしまいそうである。こんな風に考え始めると、だんだん中野区というところがアナーキーな場所に思えてくる。

しかしそれはともかく、「春樹求む」の真相について御存知の方がいらっしゃいましたら『週刊朝日』まで御一報下さい。良いことがあったら――そしてもしそれが分割可能なことであれば――少しおすそわけします。

〈ちょっと奇妙な話〉をつづけると、先日のバレンタイン・デーの翌朝に、千駄ケ谷《せんだがや》鳩森《はともり》神社近くの路上で、ハート型の大型チョコレートがいくつかぐしゃぐしゃに踏みにじられていた。かなり不気味な光景である。

「こういうことするのって男の方かしら、それとも女の方かしら?」とつれあいが訊《き》いたが、僕にもよくわからない。男性の仕業だとしたら痛々しいし、女性の仕業だとしたら怖い……というのは偏見なんだろうか?

もちろん
(1) 女の子からいっぱいチョコレートをもらった某イラストレーターが、妻への愛を確認するために全部踏みにじったという可能性もある。

それから

(2) 鏡餅《かがみもち》を割るのと同じように、儀式としてのチョコレート割りが定着した

ということも考えられる。女の子が男の子にチョコレートを贈って、それによって愛が成就《じょうじゅ》したら、その夜のうちに神社の近くで二人でチョコレートを踏みにじっちゃうわけである。それから〈裏バレンタイン〉として八月十四日に男が女に西瓜《すいか》をプレゼントするとかね。そういういろんな付随行事があるとおかしそうである。

あるいは

(3) チョコレートを恋人に手渡そうと道を歩いていた女性が前後からライオンと豹《ひょう》に襲われた

という仮説も成立したりする。

(4) チョコレートだと思ってかじってみたらハート型カレー・ルーだったのかもしれない。

しかしこういうことを考えていると一日があっという間に過ぎてしまう。

「春樹求む」の真相は依然として謎です。悪いことが起こっていなければよいのだが。

長距離ランナーの麦酒《ビール》

春が近づいてくるとなんとはなしに長距離レースが走りたくなってくるもので、先日「明日香《あすか》ひなまつり古代マラソン」というのに出場してきた。スタート地点が明日香村の石舞台の前で、鬼の俎《まないた》や飛鳥寺《あすかでら》や高松塚《たかまつづか》なんかを眺《なが》めつつ四十二キロを走破するというなかなか楽しそうなコースである。天気も良いし、暖かだし、石舞台のわきにころんと寝転び、フィリップ・ロスの『解剖学講義』なんぞを読みながらスタートの合図を待っているとのんびりと心がなごんでくる。もう春である。

フル・マラソンに出場するのはこれで三回めだけれど、前回が一九八三年のホノルルだから、約二年半ぶりの四十二キロということになる。ホノルルの前年にはやはりアテネでフルを走ったし、十キロ、二十キロのレースにも暇をみつけてはちょくちょく出ていたのだけれど、ホノルルが終わったあとでいささか思うところあって、しばらくレースに出るのは休み、一人でのんびり走ろうと決心したのである。

僕は何度フルを走っても三時間半を切れない「ごく普通」のアマチュア・ランナー

だからそれほど偉そうなことも言えないし、言いたくもないのだけれど、あえて個人的な感想を言わせて頂くなら、名のある市民マラソン・レースはだいたい年を追うごとに巨大化しているし、ある種のものはいささか騒々しすぎる。日本のTV局が跳梁跋扈《ちょうりょうばっこ》する（という表現がぴったりなのだ、実に）ホノルルは別格にしても、ちょっとした大会になるとアトラクションがあったり、記念Tシャツのおみやげがあったり、「なんとか走友会」が揃《そろ》いのウェアでのぼりを立ててのりこんできたり、

もっともらしい「完走証」が配られたり、長々しくてあまり意味のない開会式・閉会式があったりと、どうも余分なものが多すぎるような気がしてならない。もちろん遊びなんだと言っちゃえばそれまでなのだけれど、僕としてはそういうのが少々うっとうしくなってきて——しかし細部が文学賞のパーティによく似ているなあ——レースに出るのをお休みしていた次第である。

これまでのレースの中でいちばん印象に残っているのはアメリカのワシントンDCで走った名もない十キロ・レースだった。この十キロ《テン・ケー》は週末の朝にポトマック河畔《かはん》のそのポイントに行けば誰でもすぐその場で参加できるというきわめて気楽なもので、もちろん権威も何もない。参加者は五、六十人というところで、年齢もばらばら、みんな好き勝手な格好で三々五々と集まってくる。受付のテーブルに座っている女の子に参加費二ドル（だったと思う、たぶん）払うと「ハーイ、そこのオレンジ・ジュース好きに飲んでね。あっちのロールもよかったらどーぞ」と言われ、参加費を払ったしるしに手にペタンとスタンプを押してもらい、ノートに住所・氏名を書く。ゼッケンとか、標章とか、そういうものは一切ない。「そろそろやりますか。ほれ、ヨーイ……ドン」で十キロ走るだけである。走り終わると「はい、何分何秒ね」と教えてくれる。そして我々はごくごくとオレンジ・ジュースを飲み、ロールパンをかじり、最後までせりあったおじさんと握手して別れるのである。

もちろんだからホノルルや青梅《おうめ》がダメだと言っているわけではない。ホノルルはそれなりに楽しかったし、青梅だってできるものなら一度は走りたいと思っている。でも僕としてはワシントンＤＣで走ったようなシンプルでノー・フリル（飾りなし）のレースがアマチュア・ランナーの基本だと思うし、我々はそういう原点を忘れてはいけないと思う。少なくとも日本各地にミニ・ホノルル・マラソンを出現させていく必要性なんてまったくないはずである。きちんとしたコースと、正確な計時と、要を得た給水と、主催者のあたたかい心配りさえあれば、それはもうそれだけで立派なレースなのだから。

ところでこの「明日香マラソン」は実際に走ってみると名前に似合わないかなりハードなコースである。飛鳥を歩いた経験のある方ならおわかりかと思うけれど、このあたりはやたらとアップダウンの多い地形で、ひとつ丘を越すとすぐに次の丘がやってきて、いちばん高いところといちばん低いところではその高低差が約百メートルある。だからいつも平地を走っているときの感覚でとばしていると、後半には足がガクガクになってしまう。僕はもともと坂道はそれほど苦手な方ではないのだけれど、このところ神宮外苑《がいえん》や湘南《しょうなん》サイクリング道路といったフラットなコースばかり走っていたのでアップダウンについていけず、三十五キロを越したあたりからはもう坂を見ただけで頭がクラクラして、ついに上りだけは歩いてしまうことになった。誠に残念である。これからまたみっちりとクロス・カントリーで鍛えて、できることならもう一度このコースに挑戦《ちょうせん》してみたいと思う。

しかし記録はともかくとして、四十二キロを走り終えたあとでごくごくと一息に飲むビールの味はまさに至福とも表すべきもので、これに勝る美味を僕はちょっと他《ほか》に思いつくことができない。だからだいたいいつも最後の五キロくらいは「ビール、ビール」と小声で呟《つぶや》きながら走っているようなものである。このように心底美味いビールを飲むためにはるばる四十二キロを走らねばならぬということはあるときにはいささか酷な条件のようにも感じられるし、あるときにはきわめてまっとうな取引であるようにも感じられる。

さて、一年間つづきましたこの連載コラムも今回をもってしばらくお休みさせて頂くことになりました。御愛読――というほどではないにせよ――ありがとうございました。安西水丸氏ともどもまた誌上でお目にかかることができればと思っております。

最近フィリップ・ロスの小説がガゼン面白く感じられるようになってきたんだけど、そう思

うのは僕だけなんだろうか？　それほどの評判もきかないみたいだけれど。

〔番外編〕
対談・村上朝日堂

村上春樹
安西水丸
（あいの手）岡みどり

86年4月12日・村上宅にて
対談は清酒「銀嶺立山《ぎんれい》」を傾けつつ、ひらめ・石鯛《いしだい》・わらさの刺身をつまみつつ行われた。ささやかながら井上のはんぺんと真壁の豆腐もそれに花を添えた。岡みどりさんは久我山に住む謎《なぞ》の独身女性である。

㊍ えーと、本日は『村上朝日堂の逆襲』のさし絵を描《か》いていただいた巨匠・安西水丸さんとさし絵のことについてお話をしたいと思います。まず最初に言いたいんですけど、中に僕《ぼく》が車を運転してたり、僕の部屋にゴルフ・バッグやら肩たたき機があったりする絵がありますけど、あれは完全な意地悪ですよね？

㊌ いや、えへん、あれは悪意じゃなくてね、ほら、ああいう村上ハルキが絶対にやりそうにないシチュエーションを絵にしてみたかったのね。そういう絶対にやりそうにないことをチョコチョコッと絵の中に入れてみるといいんじゃないかなってさ、思ったのね。でもさ、こないだ奥さんに聞いたんだけど、けっこうそういうことでファンから問いあわせがあるんだって？

㊍ たまにあるみたいね。「本当に肩たたき機使ってるんですか？」とかね。

㊌ 驚いちゃうね。そういうことあるんだね。

㊍ でも最後の回の絵（マラソンの世界記録）は親切で好意的な絵でしたよ。

㊌ あれはもう最後だったしね、これはもう、うん。

㊍ うん。

㊌ でも全体的に好意的だったと思うよ、僕は。

㊍ うん、全体としてはもちろん。でもさ、水丸さんの絵って男より女の人の方に好意的じゃない。だいたいにおいて男に対しての方がシニカルだよね。女の子に甘い。

㋯ ふふふ……

㊌ そーかな、そんなことないよ。あ、そうそう、どこかでバーで女の子を指名する絵も描いたよね。

㊍ あ、あれひどいよね。「村上さんのイメージと違う」って手紙来たよね、そういえば。

㊌ 村上さんってそういうことしないってイメージがあるのね。べつにやったって悪いことじゃないいんだけど。

㊍ うん、そりゃべつに人の道を踏み外したり、倫理にもとっているわけではない。ところで今度の本にはうちのカミさんの絵が二回も出てきてますね。ずいぶん親切に描いてあるみたいだけど。

㊌ 僕ね、よく考えてみると奥さんにあんまり会ってないいんだよね。それでね、どんな顔だっけ忘れちゃいそうだな……という頃《ころ》にばったり会うんだよね。それで「村上さんの奥さんってこういう人だったんだ」と思いだすんだよね。

㊮　このあいだ表参道の「エイコー」でばったり会いましたね。

㊌　うん、あのときは「あれ、村上さんの奥さんによく似た人がいるなあ」と思ってたら本当に奥さんで……そうだったの。いや、でもいい奥さんだな。

㊮　水丸さんはホントによく他人《ひと》の奥さんをほめますね。

㋯　ふふふふ……

㊌　でも可愛《かわい》いよ。今日はいらっしゃらなくて残念だなあ。（※急用で外出したので僕が手料理を作ってもてなしている）

㋯　水丸さんがよく描く女の人に傾向として似てますわよね、髪が長くてやせてて。

㊌　傾向としてね。えへん。

㊮　ウェーブのかかった髪とか、出てきませんね、そういえば。

㊌　描かないの。むずかしいから。

㊮　ただ単にそれだけの理由ですか？

㋯　ははは……

㊌　そう、むずかしいものは描かない。だから自転車なんて描かないでしょ、僕。機械は描かないんだよ、むずかしいから。

㊮　でもね、昔『アルバイト・ニュース』でロンメル将軍の絵を描いてもらったこと

㊌ ありますよね。あれなんかむずかしかったんじゃないですか？

㊌ ああいうのは好きなの、けっこう、ナチスは、制服なんかが。

㊍ ナチスと女が好きという……

㊌ ほとんど『愛の嵐《あらし》』だね。

㊊ ふふふふ……くくく……

㊍ あの絵はそのときどきによって今回は気楽にやろうとか、今回は手のこんだ絵を描こうとか、あるわけですか？

㊌ だいたいすごく楽しんで描いてたね、これ。村上さんの原稿ってだいたい三回ぶんくらいまとまって来るじゃない。それで僕も三回ぶんまとめて絵をつけちゃうわけ。ソファーに寝転がって読んで「あー、面白《おもしろ》い面白い」って読んで、えへん、「このへん絵にしよう」ってコピー原稿にピッとしるしつけて、一度に描いちゃうのね。でも一度に渡すと『週刊朝日』の人、失《な》くしちゃいそうだから一回ずつ渡すんだけど。ふふ。

㊍ あのね、僕の方もね、こういう原稿書くと水丸さんはこういう絵を描くに違いないと予想しつつ書くんだけど、そういう予想ってあまり当たらなかったですねえ。

㊌ そうだねえ……僕も村上さんがこう考えてるんじゃないかなあとなんとなくわか

ったりするんだけど……でもね、村上さんの原稿ってすごく絵にしやすいんだよね。

(春) あ、そうですか。

(水) 中にはなんとなく絵にしづらい人っているね。村上さんの場合には、んーと、こう、自分で絵を作っていけるんだけど、中には原稿どおりに絵をつけなきゃいけないっていう場合もあるでしょ？　なんか、こう、文章読んでても絵が浮かんでこない人ってのもいるし。

(み) 誰かしら？　オフレコでちょっと……

(水) いやまあ、それは、ふふふ。（ととぼける）

(春) でも水丸さんとも以前から何回かコンビを組んで仕事してますけど、週刊誌の連載（『週刊朝日』）って想像以上に反応が大きいですね。たとえばほら、東京に来て水丸さんとか『小説現代』の宮田さんに悪いアソビに誘われたって話があったでしょ？

（「バビロン再訪」）

(水) あったあった。

(春) あれ、宮田さんあとでブツブツ言ってましたね。あんなこと書かれると近所の人に白い目で見られるって。水丸さんはそのことで奥さんに叱《しか》られたってことだけど……。

㊌ うん。女房も読んでるしね、女房のお袋も読んでるわけね。でね、女房はワリに言う方だからね。「あなたそんなに悪いコトしてるの?」ってさ。でも、女房のお袋の方はさすがに遠慮があってね、「あの、村上さん、近くに越してきたみたいですね」と僕にそういう風に言うわけ……

㊑ はははは……

㊌ それが怖いんだよね、なんか。

㊑ こたえるんだ。でも水丸さんと宮田さんが一緒にいるとすごい悪いことしてるみたいに見えるよね。情景的に。

㋯ ふふふふ……

㊌ でもさ、村上さんの顔ってとくに絵が似てるとも思えないんだけど、(※安西水丸さんという人はこのように話題の変え方が非常にうまい人です)ずっと描いてるうちに村上さんの顔ってあれしかないって気がしてくるんだよね。なんかこう、だんだん自分でもそういう気になってきてね。でも感じでてるでしょ?

㋯ でてる、でてる。というかもう、あの……

㊌ あの絵の顔が即ち村上さんだっていう風になっちゃう。

㊑ うーむ。怖いなあ。

㊌ あれもう売り出そうかな、人形作って。
㊍ 嵐山人形・春樹人形とかシリーズでね。
㊌ そうそう。
㋯ ははは……
㊌ 村上さんの顔ってさ、ちょっと不機嫌《ふきげん》そうに描くともっといいんだよね。決まるんだよね。
㊍ ムズッてるっていう……
㊌ そうそう、ムズッてる顔ね。なんか、この、ムズリやがってって感じで……
㋯ なるほど。
㊍ はははは……
㊌ きっとなんかつまんないことでイライラしてんじゃないかと、そーゆー、なんというか自分のワガママでスネてるようなところが……という風にちょっと機嫌悪そうなところを、ちょっと眉《まゆ》を曲げて描くとすごくよく似るね。
㋯ ふーむ。
㊍ しかし水丸さんって男の似顔絵の方が女の似顔絵よりリアリティーあるね。
㊌ というよりね、なんていうか、男の人ってちょっと似てると本人が「似てるね」

と言ってくれるところがあるの。でもね、女の人って本当によく似てないと「私はここが違う」とか、本当にそういうかんじになってくるの。だから似顔絵の見方が男の人と違うんだよね。だからちょっと似てなくてもともかくキレイに描いちゃうとか、わりとそういうコトあるね。

㊗ 親切なんだ。

㊌ 親切なの。

㊗ なんか下心もあるんじゃないですか?

㊌ 下心っつうんじゃないよ。

㋯ ふふふ……

㊗ しかし煎《せん》じつめれば、リアルに描いてきらわれるよりはキレイに描いて良いコトあるといいなあという……

㊌ うーむ。女の人って似てなくたってちょっとキレイに描いてあるとさ、私こういう感じかしらってなっちゃってね。物の見方が違うんだよね。(※答えになっていない)

㊗ あとどういう人の顔を描いてましたっけね?

㊌ あとね、嵐山とか川本三郎とか……

㊩ 川本さんの顔の絵見たことないですねえ。

㊌ そんな村上さんと変わんないよ。村上さんと川本さんの違いはね、このうしろの髪の毛をね、川本さんの場合ちょっと多いめに描くのね。あの人ちょっと伸びてるじゃない。そして眉毛をね、どっちかというとちょっと下げめにするの。

㊩ ふむふむ。

㊌ 目は同じね、この、こう、黒点《くろてん》の。

㊩ そういえば誰《だれ》かに「川本さんと御兄弟《ごきょうだい》ですか?」って訊《き》かれたことあるなあ。

㊯ はははは……

㊌ そうねえ、並んで一緒にいたりしたらね、そう思うね。

㊩ 「文芸評論家みな兄弟」なんちゃったりしてね(笑)。あとコミさん(田中小実昌)を描いてますよね、山本益博とか。

㊌ うん、マスヒロの場合も基本的には同じなのよね、ヒゲ描くだけで。僕はだいたい似顔絵ってうまくないし、あまり描かないよね。ただ僕の場合さし絵で、文章を読む人になんかそういう気持ちにさせてしまうっていう、いわば甘えだね、もう。そう思って下さいっていうかんじでね。ひどいときは矢印でこう名前書いちゃったりしてね。

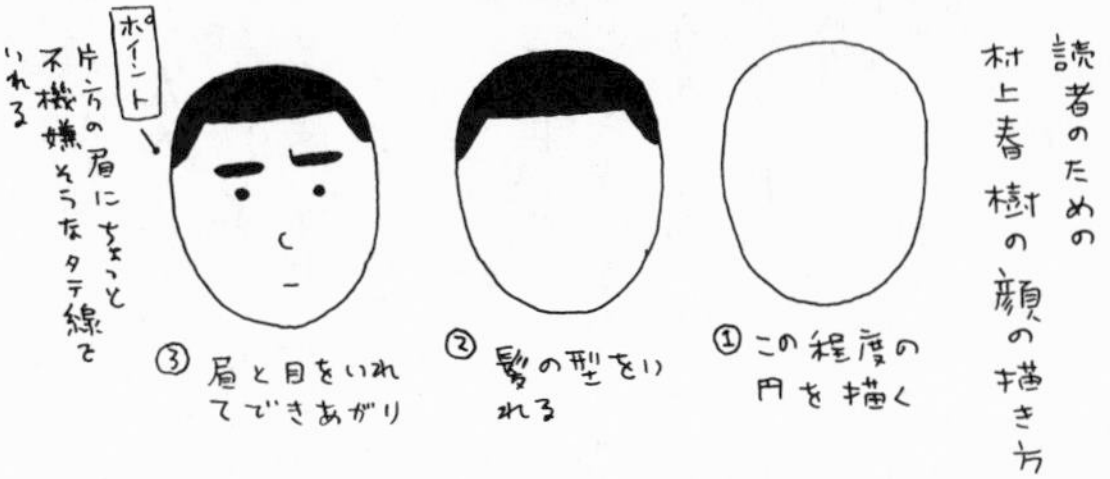

(み)　ははは……。でもなんかこっちもついユルシちゃいますね、水丸さんについては。

(水)　だから嵐山なんかは言うんだよね。「俺あんな顔してないのに水丸がまん丸く描いたからああなっちゃった」てね。自然が芸術をモホーしたってね。

　だから前に山藤《やまふじ》さんに言われたんだけど「水丸さんの似顔絵は詩心のない人にはわかんない」ってね。

(春)　ホメられてんでしょうね？

(水)　うーん、どうだろう？

(み)　ははは……

(水)　ところで山口下田丸がこのあいだ原宿で村上さんの奥さんにばったた

り会ったんだって？

㊮ うん、そんなこと言ってたね。

㊌ で、山口くんが言ってたんだけど、「あのさ、村上さんの奥さんてさ、僕が『ねえ、ヨーコさん』って声をかけるとさ、体をぐっと引くんですよ」って嘆いてたよ。

㊮ 女房の気持ちもわかる、深い理由もなく。

㊌ 「ボク、そんな悪いことしないのに」って言うんだよね。したら大変だよ、そんなの。

㊮ でも下田丸もちゃんと子供が生まれてよかったですね。美人の奥さんと男の子と恵比寿《えびす》のマンション……という幸せな人生でまあめでたい。祝福してあげたい。

㊌ 山口耕平くんっていうんだよね。

㊮ あいつ今、精力剤の広告の仕事やってるんですよね。それで見本くれた。

㊌ あ、それ僕にもくれた。

㊮ 水丸さんには減らすやつをあげろって言っといたんだけどな。

㋯ はははは……

㊌ 一応飲んでみたけど……

㋯ もう飲んじゃったんだ。すごい。

㊮ あれ七〇歳までとっとくように言われたんだけどね。ま、いいや。えーと、そろそろフキ御飯が炊けたみたいですので、今日はこのへんで。

㊌ もっと話したいけど。

㊮ また今度にしましょう。

㋯ ふふふ……

この作品は「週刊朝日」一九八五年四月五日号～一九八六年四月四日号に連載された後、一九八六年六月朝日新聞社より単行本として刊行された。

村上春樹
安西水丸 著

象工場のハッピーエンド

都会的なセンチメンタリズムに充ちた13の短編と、カラフルなイラストが奏でる素敵なハーモニー。語り下ろし対談も収録した新編集。

村上春樹
安西水丸 著

村上朝日堂

ビールと豆腐と引越しが好きで、蟻ととかげと毛虫が嫌い。素晴らしき春樹ワールドに水丸画伯のクールなイラストを添えたコラム集。

村上春樹 著

螢・納屋を焼く・その他の短編

もう戻っては来ないあの時の、まなざし、語らい、想い、そして痛み。静閑なリリシズムと奇妙なユーモア感覚が交錯する短編7作。

村上春樹 著

世界の終りとハードボイルド・ワンダーランド
谷崎潤一郎賞受賞（上・下）

老博士が〈私〉の意識の核に組み込んだ、ある思考回路。そこに隠された秘密を巡って同時進行する、幻想世界と冒険活劇の二つの物語。

村上春樹
安西水丸 著

日出る国の工場

好奇心で選んだ七つの工場を、御存じ、春樹&水丸コンビが訪ねます。カラーイラストとエッセイでつづる、楽しい〈工場〉訪問記。

村上春樹
安西水丸 著

ランゲルハンス島の午後

カラフルで夢があふれるイラストと、その隣に気持ちよさそうに寄りそうハートウォーミングなエッセイでつづる25編。

村上朝日堂はいかにして鍛えられたか

村上春樹
安西水丸 著

「裸で家事をする主婦は正しいか」「宇宙人に知られたくない言葉とは？」'90年代の日本を綴って10年。「村上朝日堂」最新作！

辺境・近境

村上春樹 著

自動小銃で脅かされたメキシコ、無人島トホホ潜入記、うどん三昧の讃岐紀行、震災で失われた故郷・神戸……。涙と笑いの7つの旅。

辺境・近境 写真篇

松村映三
村上春樹 著

春樹さんが抱いた虎の子も、無人島で水をかぶったライカの写真も、みんな写ってます！同行した松村映三が撮った旅の写真帖。

神の子どもたちはみな踊る

村上春樹 著

一九九五年一月、地震はすべてを壊滅させた。そして二月、人々の内なる廃墟が静かに共振する――。深い闇の中に光を放つ六つの物語。

もし僕らのことばがウィスキーであったなら

村上春樹 著

アイラ島で蒸溜所を訪れる。アイルランドでパブをはしごする。二大聖地で出会ったウィスキーと人と――。芳醇かつ静謐なエッセイ。

村上ラヂオ

村上春樹 文
大橋歩 画

いつもオーバーの中に子犬を抱いているような、ほのぼのとした毎日をすごしたいあなたに贈る、ちょっと変わった50のエッセイ。

新潮文庫最新刊

金原ひとみ著
ハイドラ
出会った瞬間から少しずつ、日々確実に、発狂してきた——。ひずみのない愛を追い求めては傷つく女性の心理に迫る、傑作恋愛小説。

野中柊著
プリズム
夫・幸正の親友との倫ならぬ恋に流されてゆく波子。そして幸正にもまた秘密が。愛の痛みと心の再生を描く、リアル・ラブストーリー。

三浦しをん著
桃色トワイライト
乙女でニヒルな妄想に爆笑、脱力系ポリシーに共感。捨てきれない情けなさの中にこそ愛おしさを見出す、大人気エッセイシリーズ！

中村うさぎ著
セックス放浪記
この恋に、ハッピーエンドなんていらない。私はさまよう愚者でありたい。男を金で買う、その関係性の極限へ——欲望闘争の集大成。

植木理恵著
好かれる技術
—心理学が教える2分の法則—
第一印象は2分で決まる！ 気鋭の心理学者が最新理論に基づいた印象術を伝授。合コンに、仕事に大活躍。これであなたも印象美人。

椎名誠 写真・文
海を見にいく
歳月を経て、心のひだに深く刻まれた記憶の中の海の饒舌。そのおおらかさを恐れつつ、愛してやまない著者によるフォトエッセイ。

村《むら》上《かみ》朝《あさ》日《ひ》堂《どう》の逆襲《ぎゃくしゅう》

新潮文庫　む-5-6

平成　元　年　十　月二十五日　発　　行
平成十八年十一月　五　日　十九刷改版
平成二十二年　三　月十五日　二十二刷

著　者　村《むら》上《かみ》春《はる》樹《き》
安《あん》西《ざい》水《みず》丸《まる》

発行者　佐藤隆信

発行所　株式会社　新潮社
郵便番号　一六二―八七一一
東京都新宿区矢来町七一
電話　編集部（〇三）三二六六―五四四〇
　　　読者係（〇三）三二六六―五一一一
http://www.shinchosha.co.jp

価格はカバーに表示してあります。

乱丁・落丁本は、ご面倒ですが小社読者係宛ご送付ください。送料小社負担にてお取替えいたします。

印刷・二光印刷株式会社　製本・株式会社大進堂

ISBN978-4-10-100136-4 C0195